BACHATA
DEL ÁNGEL CAÍDO

Colección La montaña de papel

PEDRO ANTONIO VALDEZ

BACHATA
DEL ÁNGEL CAÍDO

{NOVELA}

ISLA
negra
EDITORES
San Juan / Santo Domingo

©Pedro Antonio Valdez, 1999

©Isla Negra Editores
Primera edición, 1999
Segunda edición, 2000
Tercera edición, 2001
Cuarta edición, 2003

ISBN 1-881715-60-4

Diseño gráfico y diseño de cubierta:
José María Seibó
Colaboración editorial:
Héctor Iván Moncloca y Angel Rosa Vélez
Corrección:
Héctor Iván Moncloca
Arte de portada:
Serie sembradores del tiempo de Dionisio Blanco,
acrílico y óleo sobre tela, 30 x 40, 1999
Foto de solapa:
Jessica Rivera

Editorial Isla Negra
P.O.Box 22648
Estación de la Universidad
San Juan, Puerto Rico 00931-2648

Impreso en la República Dominicana

En memoria de mi hermano Miguel

BACHATA DEL ÁNGEL CAÍDO

VELLONERA UNUS

O más bien proemio, que procura narrar los antecedentes de los dramas, desde la novela de Benedicto Pimentel, pasando por los desasosiegos del señor enterrador y sin omitir jamás a Liberata, y otros sucesos que luego irán viniendo al caso, todos para instrucción del juicioso lector, aunque sin garantizar la linealidad de los mismos, los cuales este deplorable autor recomienda leer teniendo de fondo musical un casete de bachatas, e implora comprensión y paciencia, si no le es mucho pedir.

No me conozco, yo no sé quién soy;
con esta angustia no podré vivir.
Con la agonía que hay en mi interior
estoy tan loco que no sé de mí.

–Teodoro Reyes

LA ROSA DE LA HERRUMBRE
Novela inédita
de Benedicto Pimentel
CAPITULO 34

«San Miguel arcángel, como tú eres el encargado de todos los trabajos en el mundo entero, te envío y te imploro en esta solemne hora y día, y prendo una vela al revés para que vires cuanta lámpara, cirio, trabajo, enviación o sortilegio venga en contra mía, y se revoque en el cuerpo, sentidos y materia de mi enemigo y venga en mi favor...

Llovía. Llovía con insistencia y saña, hasta el aburrimiento. La lluvia debe sentir hastío de tanta verticalidad, de tanto desgano frío. Desde su cuarto, Liberata veía pasar la lluvia como un baúl de ropa vieja o meados de bruja cayendo desde una escoba. En la penumbra devorada por la trémula luz de la lámpara, sacó de la Biblia el último papelito que le hicieran llegar discretamente al salir de la iglesia. Lo leyó sin curiosidad. Lo de siempre: el sacristán pidiéndole amores *por medio de la presente.* Mujer poco impresionable –de las del número que si una noche fuera por el Riito y viera caer la luna sobre un charco, pensaría "la luna ha caído sobre un charco", y seguiría como si nada– no se inquietó por el papelito de amor. Sin embargo, esa noche sintió ganas de llorar. No por el sacristán, ni por la soledad, ni por la imagen de la Inmaculada que habían retirado del patio de la iglesia. No sabía por qué llorar, pero tenía ganas. Llorar con desconsuelo bajo la lluvia, con entrega absoluta, con ganas; llorar incluso uno a uno el llanto de los otros para así no parar de llorar. Pero esa noche no lloró.

Las luces chillonas del cabaret ponían al gentío en primer plano. Concierto de rostros diluidos con rara armonía bajo la espera de la música, o un mural de Siqueiros. Los cantos de bachata subyugando con su juego negro de agonías, bulliciosos, terribles, arañando no se sabe qué en el alma.

—¡Oye, cantinero, ponte el disco de *Chiquitica* hasta que crezca, para reestrenar la vellonera!— voceó el Gua con humor rancio, aprovechando el descanso de la orquesta.

Apostado en un gesto frío, el Gua esperó por la canción reclinado en la silla, llevándose la risa hacia atrás. Era un tíguere arrestado y sin ética, de esa clase de hombres que por trescientos pesos le clavaría los clavos a Jesús, o por trescientos pesos le desclavaría los clavos a Jesús. Un tipo sin origen, sin futuro, apenas con un presente tan fugaz como el trago de ron que ahora mismo va a beberse: el unidimensional, el sin historia. Tipo anotado en el cuadernito de la Muerte, porque una madrugada de estas lo iban a matar. Un apagón hizo más larga su espera. La vellonera sería encendida por primera vez desde que el cabaret fuera cerrado unos días atrás. La planta de emergencia fue encendida y una bachata escapó devorante. ¿Cómo pueden fluir tanto dolor, tanta melancolía, tanta amargura de una simple suma de percusión y guitarra? El Gua apartó la silla con un manotazo y avanzó desafiante hacia la vellonera.

El padre Ruperto llegó a la casa curial abriéndose paso entre las torres heladas de la lluvia. Liberata esperó que se desvistiera la sotana y lo ayudó a secarse con la toalla; luego encendió un cirio, le dio una cucharada del remedio para la maldad de estómago y lo ayudó a entrar a la cama. En el limbo de la sábana limpia y perdido en el aroma penetrante del alcanfor recordó la confesión de Policarpio *el Tuerto*. Lo había confesado esa tarde en el patio, mientras digería plácidamente una mano de guineos; sin dejar de engullir el víere se sobrecogió espantado y dictaminó que su ofensa era un pecado capital, y señalándolo con el último guineo a medio pelar, dictaminó: *"Hay cosas que a Dios se le hace difícil perdonar."*

–¿Policarpio habló algún asunto contigo? –le preguntó, y ante el alelamiento de ella, comentó –No fue un hombre bueno. Visitaba altares y fíjate que no participó en la marcha que hicimos aquella vez para clausurar la barra de Luis Canario... Hasta se vestía de diablo para carnaval.

–Pero ya está muerto.

El padre Ruperto respiró como lijándose la nariz con el aire.

–La muerte no libera del mal. Sólo sirve de remedio para que Dios se apiade y olvide algunas cosas. Pero el mal se refugia en el alma, y el alma nunca muere.

–Anoche vi un ojo raro en el sueño...– musitó Liberata, como de lejos, ida de sí.

–La gente hace chercha con el poder de Dios –dijo, tras aspirar una bocanada de alcanfor.

Liberata se persignó. Tomó una Biblia del comedor y la dejó abierta con unas tijeras en el *Salmo 91,* a los pies de la Virgen de la Inmaculada. El padre se llevó la mano al estómago y se zangoloteó entre las sábanas provocando un crepitar descompasado, lento, de hojas podridas.

–No te vayas... Debes rezar la oración a san Miguel arcángel.

»Que sufra como sufrió Jesús en el árbol de la cruz: amarguras, tormentos, tropezones, patadas y bofetadas, como las que Él sufrió. Que se vea negado en su principal y de toda la humanidad, como negado se vio Él de san Pedro. Que se vea en el mundo del cautiverio y de la desolación sin amparo y sin abrigo...

El banco casi cedía bajo sus pies temblorosos. Abajo estaban la careta, los cascabeles mudos, la ropa de diablo envejecida. Policarpio *el Tuerto*, desnudo de cuerpo entero, apretó el crucifijo en su mano izquierda hasta que un hilillo de sangre mojó la paja reseca. *"Perdóname, Señor"*, masculló entre sollozos. Y se tiró del banco como un derrumbe de tierra. La soga se tensó tras un golpe seco y comenzó a balancearse ligeramente con el peso del hombre y del crucifijo.

»Que las tres caídas que dio Jesús sean las que dé y la última la dé en la puerta de mi hogar pidiéndome perdón por la falta cometida, siendo testigos de mi petición el influjo de los astros y el estrellado firmamento. Así sea.»

La última noche que pasé contigo quisiera olvidarla pero no he podido, canturreaba la China, gata en celo que maúlla, mientras se depilaba las piernas. Más allá de la cicatriz que le arañaba el pómulo, la China era hermosa. Las torres de sus piernas, sus senos como gustan a los hombres, la cintura que al ser tomada entre las manos deja la impresión de no haber agarrado nada. Mucho antes de la madrugada en que lo iban a matar, el Gua se le acercó: *El que bebe ron Brugal singa o pelea.* Y ella, altanera, casi cayendo, bailando entre sus brazos, hasta que no aguantó más y desenfundó la suya: *El que vuela conmigo pita o bota el fondo.* En los cuartos del Royal Palace nunca hay agua para bañarse, pero el agua sobra donde sobra la pasión. Recogieron sus cuerpos en un solo abrazo. En todo el cuarto, también en los de al lado, retumbaron los *yeah yeah yeah* y los *oh maigá* como brotados de una garganta incendiada. Se soltaron tres horas después, amaneciendo. Ella pateó suavemente la mesita y le dijo: *No me pagues.*

Esa fue la noche de su gloria. Pues cuando bajaron al salón de baile, el Gua silenció la orquesta para propagar la noticia del descubrimiento. *Yo he singado a todos los cueros que lo dan por estos predios,* comentó emocionado, casi comiéndose el micrófono, *y ninguna había tenido lo que tiene esta mujer;* su voz se hizo más alta y sublime para anunciar el insólito descubrimiento: *La China tiene cocomoldán.*

En el patio de la iglesia no cabía un alma. El padre Ruperto veía desde la ventanilla de la sacristía los rostros desolados y curiosos, apretujados unos contra otros alrededor del ataúd. Su voz ceremoniosa restallaba limpiamente en los oídos de la muchedumbre. Sabía que el mayor número de aquella gente no estaba allí por contrición o ánimos de dar limosna, sino por la curiosidad que despertaba la situación sacramental del finado Policarpio *el Tuerto*, pues era, debido a la causa anormal de su muerte, el primer cadáver al que se le negaba la entraba a la iglesia. Raro muerto, sin destino y silencioso, como un náufrago perdido en una estrecha balsa que se suspende en el vacío porque no existe una sola lágrima que le simule el mar.

–Dios, cuya misericordia perdona todo, sabrá si puede recibir en su rebaño a Policarpio. Sin embargo, desde nuestras imperfección humana y escasa sabiduría, alguno podría preguntarse ¿cómo olvidará Dios en su memoria eterna las veces que no dispuso de voluntad para asistir la Iglesia?, ¿cómo perdonará sus manías obscuras?, ¿cómo no recordará que se suicidó desnudo y empuñando el santo crucifijo? Si la misericordia de Dios tuviera un límite, ¿sería el difunto Policarpio ese límite?... Quién sabe, los caminos del Señor son tan misteriosos; pero Suyo es el ejercicio principal del perdón y nuestro, su santa Iglesia, el papel de hacer cumplir fielmente sus reglas.

El sacerdote cerró la ventanilla; mas luego, cuando salió de la sacristía acompañado de una mano de guineos, se encontró con la muchedumbre intacta en el patio de la iglesia. Durante un largo instante, trató de captar por primera vez sus rostros: círculos accidentados y disímiles, algunos recortados de *El caballero de la mano en el pecho;* la mitad manchados brutalmente por el sol y la otra mitad descoloridos por el hambre. *«He aquí tu rebaño»,* rememoró con cierta amargura, y guardó silencio. *"¿Y?",* preguntó. *"Que qué se va a hacer con el difunto",* finalmente rumió desde el fondo el Protagonista. El padre pareció pensativo mientras avanzaba por el pasillo. Al llegar a la puerta, sin detenerse, dijo claramente: *"Si quieren, que el enterrador lo sepulte; pero no puede haber servicio religioso de ningún tipo."*

SATOR. AREPO. TENET. OPERA. ROTAS. El astrolabio, la pirámide de dos cruces, la brújula, el compás, el atanor, un postulano, el bastón y el látigo, la *Vulgata,* el itinerario de la Misión desplegado sobre el tapiz ambarino... el velo que protege el Baphometo.

—¿Qué son esos tereques, Geofredo?

El hombre emergió precariamente de sus cavilaciones. Los ojos inesperados de la mujer lo redujeron a un terrible vacío, a algo así como si Dios, cuando estaba solo en el mundo, de repente hubiera descubierto que alguien lo miraba. Sufrió que el misterio de la Misión, por un descuido imperdonable, fuera develado tan pendejamente ante unos ojos profanos. La vio caminar despectiva hacia la escalera.

—No, espera —pidió con imprecisión. La mujer se detuvo. Los dos se quedaron tiesos en medio de la pieza. Geofredo accedió en silencio, violándose a sí mismo, tal vez con ganas de llorar. *Que todo sea por salvar la Misión,* murmuró, mientras comenzaba a acariciarle los cabellos. Y le pareció reconocerla desde la antigüedad de un bosque podrido por las lluvias. «*Morgana*», aspiró entonces, derrotado de pasión. La mujer reaccionó enrarecida: *"No, yo me llamo es...".* «*Morgana*», repitió el hombre, soplando la voz desde el Lago de las Siete Iglesias mientras se le metía por los ojos. Y desde ese instante, incendiada por el deseo, le hizo olvidar su nombre, y ella comprendió que ya no tenía caso llamarse de otra manera que no fuera *Morgana.*

No me molesten, dejen que beba, a ver si un día de un jumo me muero; que nadie llore y en vez de flores llévenme romo para el cementerio.

En las guaguas que viajaban entre Dajabón y El Seibo, en los cabaretes abiertos desde Pedernales hasta Samaná, el ruido se había reducido a las bachatas de Teodoro Reyes. Las voces de Blas Durán, el Chivo sin Ley, el Solterito del Sur, Raulín Rodríguez o Antony Santos permanecían relegadas a un decoroso olvido. Era el tiempo del ciego sabio Teodoro. Los ciegos tienen un encanto natural para cantar la tristeza, porque el dolor de no mirar se les empoza en la garganta. *¡Se soltó Teodoro!*, oíase gritar a golpe de guitarra, y un amargo desconsuelo redimía entre tragos a los malqueridos.

No quiero flores sobre mi tumba, cerveza y romo es lo que quiero, porque al que muere por lo que quiere debe la muerte saberle a cielo.

GÉNESIS, O EL TIEMPO EN QUE CUCA BAILABA CON ROQUETÁN

Este barrio se llama el Riito, Doctor. Una extensión larga de tierra partida en dos por un pequeño canal de aguas sucias. A un lado del canal, casas roídas por la miseria, niños harapientos, perros pulgosos, un olor a sueños achicharrados y comadres aburridas oreando su miseria al sol; del otro lado, lo mismo. Confieso que cuando me vi frente a este panorama, tuve deseos de volver a mi bella casa en la Capital; pero luego pensé que era necesario permanecer aquí unos días para poder sacar a flote mi proyecto, por lo que decidí quedarme. Bajo una llovizna literaria, llegué a un hotelito descuidado y obscuro, donde renté un cuarto por el que pago veinte pesos diarios. Mi cuarto no tiene agua, ni baño, ni cocina; todo su ajuar lo componen una cama replegable y una mesita casi derrotada por la polilla. La puerta se condena con un pedazo de alambre. Hay una fonda al otro lado del canal, que no es muy higiénica aunque cocinan delicioso. Aquí nadie me molesta... ¡Todo es estupendo! ¡Exactamente la pobreza que necesito! Quienes sostienen que el paraíso no existe en la Tierra,

Doctor, pueden confirmar su teoría poniendo de ejemplo este barrio.

Me paso los días tomando apuntes del barrio y de esta gente, para mí tan exótica, tal como usted aconseja en su folleto Norma *para escribir novelas. Hago todo esto porque entiendo que si me interesa escribir una novela significativa debo conocer de lleno el cronotopo en cual se desarrollará. Tuve que hacer esto a escondidas de mi familia; tuve que mentirles y decir que iba a pasar las vacaciones en su casa, Doctor, y no en este barrio mugroso. Así que antes de enviarle este fax, le pido un favor delicado, como mi amigo y mentor literario: Si alguien de mi familia llama a su casa, dígale que estoy bien, que salí un momento y por eso no puedo tomar el teléfono. Porque si llegan a saber que estoy en el Riito, mi novela termina ipso facto.*

Ya le enviaré otro fax cuando avance en el trabajo de campo. Un saludo a mis amigos de la Logia Litterarum.

Su discípulo,
Benedicto Pimentel

"*Hombre de palabra, este Policarpio el Tuerto*", venía todo el camino pensando el enterrador. Y lo pensaba porque unos días antes, este se le había acercado para decirle, hondamente entristecido: "*Prepárese, que pronto le tocará enterrarme*". Llegaron incluso a discutir el precio: un hoyo siete por cinco sale por tanto; los clavos hacen tanto; cinco pies de pino para la cruz, tanto; más tanto, hace ochenticinco pesos oro, ni un centavo más ni un centavo menos, porque usted sabe que el que vive del altar debe comer del altar. Eso fue un Viernes de Dolores. Después al enterrador le pareció como que el asunto se estaba olvidando.

Un día lo interpeló. Era domingo de carnaval. Disfrazado de diablo cojuelo, Policarpio *el Tuerto* descansaba despatarrado sobre la capa ajada: una rumba de trapos rojos y amarillos, viejos. La piedra le magullaba las nalgas y le multiplicaba el agotamiento. Sintió el olor penetrante del caballo. *"En qué quedamos, ¿no que hoy a usted íbamos a enterrarlo?"* El diablo levantó con pereza los ojos. *"Ya es como si estuviera enterrado"*, alegó, apoyado en una voz apagada por el tedio, y encogió los hombros produciendo un debilucho acorde de cascabeles. El enterrador se balanceó con desgano sobre el lomo huesudo del caballo. Oyó las campanas de la catedral rebotando bajo el cielo nublado. *"No es lo mismo, no"*, terminó por reprocharle. Pero pronto constataría el enterrador que Policarpio *el Tuerto* era un hombre de palabra, porque ese mismo día, dos o tres horas más tarde, fue que se ahorcó.

El enterrador llegó al cementerio cargando el ataúd. Lo apeó del caballo con el mismo cuidado con que ayudaría a una dama a bajar. La llovizna sobre los cementerios cae como anillo al dedo, porque vuelve manteca la tierra y hace que los muertos se deslicen mejor. Trazó un rectángulo de ceniza, picó la primera capa de pedruscos y continuó cavando el resto con la pala.

¿A cuántos ha enterrado usted?, quiso escucharle preguntar al difunto. Pero no le contestó. El otro se sentó desconsolado sobre un peñón. Veía la pala organizar una pirámide de tierra que apuntaba obscuramente hacia la luna. *¿Cuál número saldrá el domingo?*, volvió a imaginar, y como permanecía en silencio, fue como si le oyera decir, lloroso: *Responde algo, coño, ¿no me ves que estoy muerto?*

En ese punto, el enterrador, con la frente empapada de sudor y llovizna, lo miró fríamente con un ojo, como a través de un taco de billar. Sus labios temblaron deseosos de rezar un *Padre Nuestro,* pero aunque miró a todos lados, no pudo atreverse. El caballo musitó un relincho. Continuó cavando con golpes acompasados y secos. Terminó la sepultura junto con la campana de las diez. La Muerte, fiel a su costumbre, se detuvo a supervisar la obra. Era un rectángulo perfecto. Luego de verla continuar su camino, acordó el enterrador que sólo cobraría setenta pesos, ya que no podía hacer nada más. Esperó silencioso, con un respeto profundo, la campana de las once, el silencio de las doce. Esperaría pacientemente al borde de la sepultura toda la noche, toda la eternidad hasta que Policarpio *el Tuerto* terminara. Porque todos los sepultureros saben que nunca se debe enterrar un muerto hasta que este no se termine de llorar.

"Padre –alcanzó a oír desde la salita el enterrador– *ahí anda el enterrador". "¿Qué quiere?",* oyó que el padre preguntó al sacristán. *"Dice que ya enterró a Policarpio* el Tuerto, *y que por tratarse de usted, solamente son setenta pesos".* Al enterrador llegó el ruido de algo como una gaveta cerrando de golpe, un largo silencio y nuevamente la voz del padre Ruperto. *"Y qué piensa él, que tenemos que pagarle".* El sacristán dijo algo que no se entendió claro en la salita de espera. *"Ese desgraciado no tenía dolientes en el mundo. Mucho hicimos con pedir su cuerpo a la morgue del hospital, porque casi se estaba pudriendo",* alegó el padre. *"¿Es que nadie cultiva aquí la caridad? Hasta lo transportamos desde la morgue sin cobrar un centavo... tanto que ha bajado*

últimamente el monto de la limosna". *"Sí, ha bajado mucho... Pero, ¿que le digo al enterrador?"*, insistió tímidamente el sacristán. El ruido brusco de la gaveta, el largo silencio y la voz recia del padre, ahora impregnada por un acento despreocupado, retornaron a la salita. *"Dile que vaya a cobrárselo a la Gobernación"*. Cuando el sacristán salió a la salita, sólo escuchó los pasos del enterrador en la calzada. Lo oyó subir al caballo y retirarse con el descompás metálico de las herraduras.

La vaca olfatea una yerba, la escarba, la mastica. Una garza, vestida de novia hasta la monotonía, se le posa en el lomo y come una garrapata. La vaca levanta la cabeza, la deposita sobre el espinazo y abre la boca. La garza da varios saltitos, entra y se deja masticar apaciblemente. La garza picotea las vísceras de la vaca... Y todo por ese estilo, real y dulce, como un poema de William Carlos Williams.

A Alcides el de la carnicería le decían Platanón. Era alto, gordo fofo, medio sonso y, por peores señas, mudo y huérfano de nacimiento. Todos sabían que se crió rodando de acá para allá en medio del desamparo y el silencio, con el dolor de no haber conocido nunca a nadie que conociera a su mamá. Caminaba pandeando el cuerpo para alante y se paraba con las corvas combadas hacia atrás. No bebía, no bailaba, no tenía familia ni querencias de mujer. No se metía con nadie y nadie se metía con él. Salvo hacerse periódicamente la paja y joder una que otra vaca bajo el indiscreto baño de plata de la luna, su único entretenimiento era escuchar el disco de risas que Juan Espínola grabara en el tiempo que Cuca bailaba con Roquetán. Lo que más lamentaba de su mudez era el no poder imitar ninguna de las tantas risas brotadas de aquel viejo elepé.

—Yo sé que usted es un hombre serio, pero la vaca que le dimos a cuidar no aparece.

El mudo entreabrió los brazos desconcertado. La vaca, según se le ordenó, había quedado en el cementerio sola, alumbrada por la luna, comiéndose la yerba de los muertos; ahora el propietario quería destazarla y en ninguna parte la encontraban. Algo inexplicable. El dueño de la carnicería, confuso e incrédulo, se quedó mirándolo con los brazos cruzados al pecho. De pronto, llenándose de coraje o de fastidio, le ordenó:

—Váyaseme de aquí, y no vuelva jamás ni nunca en la vida hasta que no traiga la vaca.

«Helo aquí: el gran macho. El que ha singado desaforadamente y sin reparos a su mujer durante dos años de amor ardiente, pose por pose, palmo tras palmo; el que ha hecho enloquecer a un centenar de casadas valiéndose de números inéditos que los pruritos de la decencia dificultan describir por este micrófono. El Machote, el que posee en su vasto inventario de proselitismo erótico la conquista fenomenal de trece viudas, el arrancar a treintiséis adolescentes la flor de su virginidad y la seducción insólita de una monja. Helo allí, ladies and gentlemen, al que ha conquistado el corazón de los ensoñados cueros del Royal Palace, Morillito, la Marisol, la barra Pando, el Riverside, Tipotanque, la Barra donde bebe el diablo... Sea el saludo de esta orquesta para su majestad el Machote, el as de los protagonistas, el que entra a este cabaret de Luis Canario con su porte señorial de numen imperatoris, el que siempre ordena con voz estridente un Brugal

de mallita, dos Coca-cola, media Marlboro y una
cerveza Presidente de la grande; al que no le tiembla
la mano para pagar la cuenta de sus amigos; el que
se rodea de un séquito de mujeres que, cual mariposas
nocturnas, llegan atraídas por su luz; miradle ahora
ponerse de pie, merodear a su alrededor con ojos de
águila, señalar con su dedo inquebrantable a la rubia
piel de leopardo, tomarla en su abrazo de hierro,
caminar por la escalera poblada de carcoma y
desaparecer tras el último peldaño. Aspirad en el
ambiente la ardorosa estela de su ausencia, el
recuerdo celestial del gran macho, del inagotable, del
conquistador.»

—Se jodió la China: le tocó el Machote —dijo la una a
la otra.

La otra echó una moneda a la vellonera, puso
La última noche que pasé contigo, en voz de Johny
Ventura, regresó al mostrador, y dijo:

—Se nota que eres nueva en el negocio de la
barra. Esos que hablan mucho, como el Machote, se
vuelven buchipluma nomás

—¿No me digas? —sorprendióse la una.

—Te habla la voz de la experiencia... No
acarician, no son dulces. Aunque así es mejor, porque
uno le gana los cuartos sin joder mucho.

—Mira, ya vienen bajando... ¡Diablos!, en
menos de quince minutos.

«¡Anímese!, no se quede indiferente, triste, impotente
frente a las·oportunidades de placeres. No importa
su edad, FORMULA ÁRABE es un preparado con una
fórmula milenaria. La utilizan los árabes para poder
saciar a sus numerosas esposas; fue utilizada por la
dinastía Ching, de China, donde los personajes tenían

hasta 10 mujeres. El rey Mochtezuma II sentía especial predilección por FORMULA ÁRABE: se la servían en una taza dorada en su harén compuesto por 600 hermosas mujeres. Usted puede ser un amante fogoso, viril, amado y respetado por las mujeres. USE FORMULA ÁRABE HOY MISMO.»

–Deja de leer esa vaina –protestó Caridad, mientras buscaba afanosamente el panty en la devastación de las sábanas estrujadas.

–¿Quién compró esta *Fórmula Árabe?*

–El –afirmó la mujer, sin encontrar los panties, pensando por qué coño la ropa interior siempre se extravía después que se ha hecho el amor.

–Con razón es el azote de corazones –acotó el hombre–. Así cualquiera barre con las mujeres.

–¡Qué va! –reprobó Caridad, tras encontrar al fin los panties–. Donde Dios no puso no puede haber. Ese prueba de todo: *Fórmula Árabe,* brocha china, sobas de mentol el *Chinito,* damajuanas con miembro de carey... pero todo eso es buchipluma: no sabe hacer venir a una mujer... ¿Tú crees que si esos productos sirvieran para algo yo le estaría pegando cuernos contigo?

«Aquí nunca pasa nada. Sólo el aire que sopla duro y a veces se restriega con fuerza, llenando la tierra de grietas. De vez en cuando baja la lluvia y convierte el polvo en un barro viscoso que se queda tranquilo por varios días, como muerto, hasta que el sol lo reseca y lo pega como melcocha en medio de la carretera. Sucede que también baja una llovizna menuda que apenas suena en el techo y casi no moja; al parecer lo único que busca es levantar el polvo que ha quedado

sosegado sobre las cosas. Sólo eso: aire y llovizna. Y
no siempre.»

Geofredo yacía acuclillado en el ángulo sur del cuarto.
La luz le desteñía los ojos y ácidas gotas de sudor
bajaban por su piel como lentos arañazos. Desde el
ángulo norte, Santiago contemplaba pasmado o
ausente.

—Esta lluvia no se lleva el calor, como si la
hubieran mandado a caer sobre una ciudad de
demonios —irrumpió la mujer.

—La tierra está poblada de ángeles, *Morgana*
—corrigió.

—Yo diría que de hombres —replicó la mujer.

—No olvides que el hombre está hecho a
imagen y semejanza de Dios, así que es un ángel.

—Un ángel imperfecto que está condenado a
caer...

—Bueno, un ángel que se va a caer es como un
demonio por adelantado, ¿no? —rebatió *Morgana*—. Por
eso esta lluvia es una máscara del fuego.

Geofredo sintió una ráfaga de temblor antes
de caer en un limbo algebraico. Las palabras de la
mujer constituyeron un mantra en su pensamiento.

—El fuego vital de la lluvia...

—La Piedra camina por el agua y el fuego —
desvarió Santiago.

Se levantaron con energía. Geofredo sacó del
baúl su libreta de anotaciones, apuró dos o tres líneas
en latín y desempolvó el astrolabio. La mujer ojeaba
el raro inventario del cuarto, deleitada por la curiosidad
que a veces provee la ignorancia.

—El padre Ruperto echaba chispas en la misa
de hoy, porque la limosna últimamente ha sido muy
poca. Dijo que en el Riito la gente tiene como una

miseria entre los huesos. Hasta tuvo que mandar a quitar una imagen de la Inmaculada que estaba en el patio, porque la lluvia la estaba dañando y después no habría dinero con que mandarla a reparar.

Los hombres escucharon silenciosos mientras intentaban instalar el astrolabio. La mujer husmeó en el baúl con torpeza, pero pronto fue disuadida por el aburrimiento. Prefirió canturrear el *Ten piedad, Señor, ten piedad* mientras se limaba las uñas con una escofina. Recogió las camisas del piso, apartó las telarañas y, media hora después, sentenció:

–Este barrio está perdido por la falta de piedad.

La tarde lucía un sol empañado, largamente moribundo, el cual teñía de oro las hilachas de la llovizna que caía en el patio de la iglesia. El agua dorada se vertía dulce y cálida, como sobre una mujer. Los poros de la tierra fueron cediendo al misterio de un punto vegetal que ascendía poco a poco. Una luz de inédito resplandor –la misma que usan en las películas para iluminar al ángel que anunció a María– apareció en el patio, concentrada justamente sobre el rincón donde a penas días atrás estuviera colocada la diminuta imagen de la Inmaculada Concepción. Un inédito trinar de pajarillos matinales volvió canción el aire lloviznado de la tarde. Algo de parto infinito, algo de tiempo detenido y pasando, acaeció en el mundo... Después que todo el espacio se redujo a su imagen habitual de lodo y llovizna, la gente descubrió sorprendida en el patio de la iglesia, crecido con gratia plena, un hermoso ramo de rosas azules.

–Liberata.

Liberata era fea, cuarentona, medio estúpida y virgen. Pero el sacristán la amaba con la tensión de todos los corazones. Al verla pasar, la tarde le traía de la distancia una efigie de luz. Y era el viento, transportándola en su suavidad de rosa, sosteniendo dulcemente su estela de alcanfor.

—Liberata.

Liberata continuaba balanceándose con un movimiento descompasado pero sostenido. Saltando sin gracia los charcos de agua. Silenciosa. La mantilla caída sobre los hombros, el vestido marrón apuntando al plomo de los tobillos y sus zapatos de tacón fuera de moda. Venía profundamente regocijada, pues acababa de descubrir el ramillete de rosas azules que esa mañana había florecido en el patio de la iglesia. Su itinerario incluía preparar la cena del padre Ruperto, rezar el Santo Rosario, fregar los platos, ponerle la vela y el vaso de agua a las ánimas, leer los *Quince minutos en compañía de Jesús Sacramentado,* entrar a la cama y rezar la oración a san Miguel arcángel para alejar los malos sueños. Pero antes de eso, pondría al padre Ruperto al tanto del milagro.

—Liberata —volvió a susurrar el sacristán sofocado por el alcanfor, antes de verla desaparecer en la borra del crepúsculo.

Rodeado por la muchedumbre perpleja y con los pies regados por las lágrimas de una vieja a la que no hubo forma de levantar, el padre Ruperto contemplaba pensativo el ramillete de rosas azules. Justo cuando iba a pelar el guineo de la siesta, Liberata había entrado a la casa curial inquieta, aunque sin alarmarse, para decirle que viniera al patio de la iglesia a ver las rosas azules: el milagro de la Virgen de la Inmaculada Concepción. Le dio trabajo desprenderse del fruto para seguir las riendas de Liberata, pero la insistencia de su rostro lo convenció. Al llegar al patio, encontró una muchedumbre azorada que se daba golpes de pecho y que, al notar su presencia, quedó petrificada, como en espera de una señal. La única en hacer un movimiento fue la vieja, que cayó llena de lágrimas a sus pies. Arrastrando un par de pasos, llegó al lugar exacto de las rosas azules. Quedó perplejo... porque ante sus ojos apareció lo que para él simplemente era una mata de rosas común y corriente. Habría pensado que lo llamaron para tomarle el pelo, de no ser por el gesto de profunda contrición montado en la cara de la gente. En sus cincuenta otoños de vida y veintidós de ser ordenado de sacerdote, nunca había sido blanco de una experiencia tan, tan absurda. *¿Y?*, pensó para sí, y Liberata, como leyéndole el pensamiento, le señaló que no existían las rosas azules. *"La primera vez que salen rosas azules de la tierra; eso no se veía ni cuando Cuca bailaba con Roquetán"*, corroboró la vieja, mientras secaba con los cabellos las lágrimas derramadas en los pies. *"Y mire usted justamente donde vinieron a nacer: donde estuvo la imagen de la Virgen de la Inmaculada Concepción"*, añadió el sacristán. El padre Ruperto comenzó a sentir la maldad en el estómago y, con la mirada ida, casi incómodo por la contemplación de las decenas de fieles y curiosos pensó que era el momento de hacer algo. Mientras decidía si dar una lección sobre los pecados de la superstición o hacerse el desentendido o volver a su habitación para tomar una cucharada del remedio, quizás convino pensar que a lo mejor a él le faltaba la fe que a otros le sobraba, y se sorprendió a sí mismo levantando los brazos al cielo. *"Este es el milagro de la Virgen de la Inmaculada Concepción, una clara señal para el rebaño de su Iglesia. Id por todos los caminos de esta tierra contando el milagro del poder de Dios a los incrédulos. Y oremos"*. Y todos oraron tomados de la mano bajo la llovizna.

Hasta ahora he tomado apuntes del barrio, el hotelucho en que vivo, el suicidio de Policarpio el Tuerto, la lluvia que se parece al cuento de nunca acabar... También he llenado una ficha por cada una de las personas que voy conociendo, como aconseja usted en el capítulo Cómo crear *personajes novelescos de su folleto, Doctor. Ha llamado mi atención varios sujetos que podrían ser mis futuros personajes: el padre Ruperto, su sacristán, una mujer más fea que el diablo llamada Liberata, un enterrador y el Platanón, un mudo que hace muchos años se puso loco de buscar una vaca. Sin embargo, me falta una fábula, sin la cual me es imposible comenzar la novela, Doctor, aunque usted dice en su* Norma... *que la fábula no es indispensable.*

    Esta tarde llamé a mi casa. Mami lloró de felicidad al saber que estoy disfrutando de su hospitalidad; la pobre, si supiera la verdad... Si ella o mi padre llamaran a su casa, recuerde decirle lo que le pedí en el fax anterior, pues sólo usted, como mi amigo y preciado mentor literario, conoce el verdadero lugar de mis vacaciones.

    Ayer, mientras comía en la fonda, me encontré por casualidad con un tipo llamado Geofredo, un cuarentón que se definió como un buscador de la verdad eterna. Aunque a mí me pareció un simple gnóstico, no dejó de ser interesante conversar con un sujeto que no habla de política o de béisbol. De hecho, tuvimos una curiosa conversación sobre los misterios medievales, tema en el cual Geofredo parece bastante versado. Al final del almuerzo me dio su dirección y me invitó para esta noche a una velada en la que ampliaremos la discusión. Yo acepté ir, con la esperanza de matar un poco el aburrimiento y de encontrar algunos elementos para la elaboración de mi novela. Además, me prometió introducirme al mundo de las visiones.

Su discípulo incondicional,
Benedicto Pimentel.

Benedicto despertó de un sobresalto. Súbitamente se vio rodeado de agua. Aspiró con angustia; pero pronto entendió que el agua no podía dañarlo, porque él se encontraba dentro de una fuente de cristal. Y descubrió también que era la rata encerrada por el Bosco en *El jardín de las delicias.* Huyó despavorido entre mujeres desnudas que eran demonios con cabeza de pez. El agua de sal le perforó las entrañas y vio un arco iris cruzar por sus heridas. Las sanguijuelas se suicidaban felices lanzándose al lago profundo de su sangre. Fue entonces cuando lo alcanzó la dentadura metálica de un pez gigante... Abrió su boca sin limitaciones y caminó hasta la lengua. Vido la tierra recién sacada del horno, vaporosa, recién hecha por la mano de Dios. Vido entonces la mano del Ángel que le dijo yo soy el ángel que guiará a Jonás. Ven, penetrarás conmigo las visiones.

El cuartucho, que parecía a punto de caer desde el segundo piso, hecho con tablas irregulares y techo de cartón, era el de la velada. Ayudado por la curiosidad y la escasa luz de la luna, Benedicto, con los ojos hundidos en el aumento de los espejuelos, contemplaba indeciso la escalera. Subir o no subir: *that's the question.* Pero, qué rayos, ¿se hubiera detenido Sherlock Holmes ante una dicotomía tan elemental? El ambiente estaba dominado por la amarga desolación y el vaho a perro sucio que suele dejar la lluvia. Se limpió escrupulosamente el lodo de los zapatos y empezó a ascender. Un peldaño podrido, otro mal clavado, uno que faltaba... hasta que llegó a la portezuela. La empujó con la dramática seguridad de un protagonista. Auxiliado por una lámpara encendida al fondo, leyó un letrero en torpe gótico que llenaba la pared: *«Así como un solo pecado caído sobre un hombre puede condenar a toda la humanidad, así mismo una sola virtud caída sobre un hombre puede salvar a toda la humanidad.»* En ese instante, una cortina corrióse de súbito y desde un armario saltó un hombre enristrando amenazante un arma como de luz. Benedicto reaccionó con un pasmo y por su mente comenzaron a pasar de golpe, tal un manojo de barajas cayendo, todos sus recuerdos empapados por un hondo sentimiento de adiós: adiós al colegio, adiós a la familia, adiós a las veladas de la *Logia Litterarum,* adiós a los sueños, adiós a la novia que nunca había tenido, adiós a sus viajes a Europa en primera clase, adiós, sobre todo adiós, a su novela. Frente a aquella increíble arma como de luz, su memoria volcó el pesado baúl de los recuerdos en un instante pasmódico donde todo el tiempo y la eternidad pudieron haber pasado sin él percibirlos. En ese momento, Benedicto descubrió qué tan fugaz era la existencia y qué tan poco había vivido.

El padre Ruperto entró apurado a la casa curial seguido por el sacristán y Liberata. Abrió casi a la fuerza el cajón de la mesa. Sacó el frasco del remedio para la maldad de estómago y tomó ávidamente una, dos cucharadas. Respiró hondo, y una vez más tranquilo dio gracias al Señor mientras enroscaba la tapa. Cerró los ojos para disfrutar la repentina gracia del frescor estomacal. Los abrió lentamente, y fue entonces cuando reparó en la presencia del sacristán y Liberata.

—¿Qué hacen ahí parados? —exclamó con mejor humor—. Hay que organizar una colecta por el *Milagro de la Inmaculada*.

VELLONERA DUO

Que contiene en su repertorio la iniciación de Benedicto a la vaporosa aventura de la santa Reliquia y las primeras diligencias del enterrador a la Gobernación en procura de los setenta pesos, entre otros acontecimientos sabrosos, todos intercalados por doce fragmentos de la novela inédita del susodicho Benedicto Pimentel, para ciencia, esparcimiento y solaz del apreciado lector.

La he buscado en todas partes
y no la pude encontrar.
Dígame usted, cantinero,
si está aquí, en este bar.

−Antony Santos

INICIACIÓN A LOS MISTERIOS DEL
SANTO GRIAL

El arma como de luz era una espada. Benedicto, cegado de temor, se abandonó a la muerte con sumisión animal. Geofredo levantó la espada con firmeza, se acercó dos, tres pasos e inclinóse con una rodilla encorvada y la otra apoyada en el piso. Va a destazarme, coño, va a destazarme, quizás pensó azorado Benedicto. Fue entonces cuando escuchó la voz ceremoniosa:

—Salvo y bienvenido sois, señor caballero.

A seguidas, Geofredo enterró la punta de la espada en una ranura del piso y apoyó las manos y la frente en la empuñadura de la espada, describiendo un gesto enigmático de reverencia.

La espada, mirándola fríamente y apartada de la luz, era un detritus de herrumbre, una antigualla capaz de quebrarse al roce con el viento. Benedicto empezó a recobrar la respiración. Vio a Geofredo ponerse de pie según las películas medievales de caballería. Le recordaba vagamente la figura de don Quijote de la Mancha, aunque su anfitrión difería por ser menos desteñido y más enjuto de carnes.

—Descansad en este rico asiento, gentil caballero —pidió al muchacho, mostrándole una silla de cuero de chivo—. Debéis estar muy cansado por las afrentas del viaje. Sabéis que me nombro Geofredo;

pero mi nombre esotérico es Geofredo *de la Dulcísima Cruz,* gran maestre de la orden de la Última Virtud, antigua del Temple.

Benedicto sentóse lentamente, con un raro sentimiento de gratitud. El raro prodigio de estar simplemente sentado y no muerto. Sin embargo, más que el alivio, lo embargaba el embelesamiento.

–Os pido que perdonéis los detalles del recibimiento –acotó, mientras tomaba asiento en una banqueta rústica–. En estos tiempos, el ejercicio de la Misión requiere de adaptaciones insospechadas.

Benedicto lo miraba en silencio. Su anfitrión era alto, descolorido, escaso de carnes, con la cara perdida parcialmente bajo una barba difusa y los ojos inundados de luz. Pero encontraba en sus gestos y en su acento de castellano antiguo un no sé qué de ridículo o rara grandeza. Definitivamente, este hombre distaba del Geofredo que había conocido ese mediodía durante el almuerzo.

La luna no es de luz, sino de un delicado polvo que todo lo blanquea. Polvo que embellece las piedras, los charcos sucios, los perros de la basura... Pero aquel rostro enmarcado en la ventana era una excepción rara, pues permanecía inmune bajo el resplandor lunar. Rostro feo, incómodo de ver. Hay rostros que parecen ridículos; pero hay otros que son *ridículos en sí mismos,* apoyados en la idea kantiana de *la cosa en sí.* Estos rostros no son percibidos por quienes los poseen, debido a la categoría del amor propio, ni por los demás, debido a la piedad. Por eso suelen circular rostros *ridículos en sí* sin que nadie los advierta. Liberata contemplaba la noche desde la ventana. La pobre. Encerrada todo el tiempo en la mantilla caída sobre los hombros, el vestido marrón apuntando al plomo de los tobillos y sus zapatos de tacón fuera de moda. Acaso miraba tras el cristal nublado la niña abandonada que ella fue y que de alguna manera seguía siendo todavía, o acaso su largo historial de muchacha recogida, o acaso su antiguo estatus de sirvienta sin salario, *porque ella es como de la familia,* o quién sabe, vamos a ver, quién sabe lo que miran en la noche las mujeres feas desde las ventanas. Liberata la conserje de la casa curial, la que habita solitaria el cuartito del patio por si al padre se le ocurre alguna necesidad, la cuidadora de enfermos, la que echa el agua a las rosas azules de la Inmaculada, la visitadora de presos, la de todos los favores. Y siempre: un día le haremos un regalo a Liberata. La pobre. Esa no sabía lo que era una discoteca, una telenovela, un salón de belleza, una gira a la *Poza de Bojolo,* un novio en san Valentín. Envuelta en tanta nulidad, en tan profundo desamor, apenas asistida por la rareza de los papelitos de amor que le escribía el sacristán. *Y de nada nos sirven los consejos: que despabílate, mujer, salte del tiesto, hazte un disparado, cámbiate esa ropa, consíguete un novio que pueda llevarte a Nueva York...* Pero ella parecía en otro mundo. Era una mujer solitaria y fea. La pobre.

Era una espada rota y oxidada, una reliquia derrotada por el polvo. No se imagina el susto que pasé, Doctor, aunque gané la valiosa experiencia de verme a los pies de la muerte, según me hicieron reconocer mis amigos Geofredo y Santiago. Fue una velada extraña, en la cual reinaron los temas esotéricos y religiosos... hasta me hizo recordar las discusiones dirigidas por usted en la Logia Litterarum. Hablamos de portulanos antiguos, pactos mágicos y expediciones medievales. Ambos son muy imaginativos, pues se presentaron como Geofredo *de la Dulcísima Cruz y* Santiago *de la Santísima Trinidad... yo no recuerdo el nombre que escogieron para mí, pero fue uno por ése estilo. Dicen conformar una cofradía a la que yo supuestamente pertenezco, y cuando yo negué tal cosa alabaron mi "alto grado de reservación y modestia". Eso de la Orden es como un juego –¿leyó usted* The Club of Queer Trades, *de Chesterton?–, lo cual me divierte, enriquece mi cultura y me da la oportunidad de tener un contacto íntimo con quienes podrían ser personajes de mi novela. Este viaje a la pobreza va siendo cada vez más positivo. Ah, ya he pensado un título para la futura novela:* La rosa de la herrumbre. *Me gustaría saber si lo aprueba, ya que reconozco en usted a una eminencia del saber literario. Después de ponerle este fax, voy a telefonear a mami (claro, haciéndole creer que llamo desde la hospitalidad de su casa y no desde este centro telefónico, Doctor).*

LA ROSA DE LA HERRUMBRE
Novela inédita
de Benedicto Pimentel
CAPITULO 7

A medida que la noche humedecía, el cuarto se iba llenando de un olor a orines y agua de rosas. Benedicto intercambiaba pareceres con Geofredo con una concordia de viejos amigos. Estaba maravillado, porque no pensó que una amistad repentina pudiera dar tan pronto frutos agradables. Hablaron de los días lluviosos, de todo y de su proyecto de novela; pero el tema que ocupaba el centro de la noche era el de los misterios medievales. Mientras avanzaba la velada, se iba pareciendo más al que Benedicto conociera al mediodía.

–Con tierra no, Señor, con fuego –murmuró

una tercera voz.

Benedicto guardó silencio y pudo descubrir que aquella otra voz salía de la cama. Durante todo el tiempo de su visita había pensado que sólo él y Geofredo estaban en el cuarto. Pero notó que del reguero de las sábanas un cuerpo venía huyendo hacia la madeja de la vigilia. El hombre se puso de pie y llegó al centro del cuarto bostezando, desperezándose, luchando contra la bestia invisible del sueño. Vio que era un hombre rechoncho y barrigudo, pero no del bajo de Sancho Panza, sino bien alto, casi gigantesco.

–El es Santiago –acotó Geofredo tras un largo silencio, para deshacer la extrañeza de Benedicto.

–Santiago *de la Santísima Trinidad,* –completó el otro, mientras revisaba ansioso dentro de una funda– el senescal de la Orden...

Quedaron todos en silencio. Santiago se llevó los dedos a la boca; luego, más animado, se acercó ofreciendo de comer. Geofredo probó algo del plato y suspiró deleitado. Benedicto extendió hasta el plato su mano temblorosa. Luego de sentir un raro sabor, notó que aquello se trataba de hongos silvestres con miel.

–Amargo a las entrañas y dulce al paladar... El alimento de los ángeles –acotó Santiago, y entonces reparó como por primera vez en la presencia de Benedicto–. ¿Quién sois vos?

–Benedicto Pimentel, escritor de novelas –lo presentó Geofredo, y ante el rechazo de Santiago por aquello de "escritor de novelas", completó la presentación–. Benedicto *de la Augustísima Castidad,* miembro de nuestra orden en el grado de mariscal.

En el momento de sorprenderse por aquello de *de la Augustísima Castidad,* Benedicto comenzó a sentirse la cabeza flotar en el vacío. Sintió un cosquilleo en todo el cuerpo, y hubiese estallado de risa de no haber sido por la seriedad con que Santiago ahora lo reverenciaba.

–Ah, nuestro tan esperado mariscal.

Benedicto trató de quedarse pensativo. O los dos hombres hablaban en serio y estaban locos, o hablaban en broma y pretendían tomarle el pelo. La dicotomía colmaba sus sentidos. Pero tuvo que ocuparse del ejército de mariposas incendiadas que escapaba de la lámpara despavorido.

–Podemos leer vuestro pensamiento, honroso caballero –dijo una serpiente de dos cabezas que salía de la luz, como hablando desde el sueño–, y en verdad os digo que aquí no hay locos ni nadie que os tome el pelo. Pues vosotros sois Benedicto Pimentel *de la Augustísima Castidad.* Sois el esperado Caballero de nuestra orden de la Última Virtud, la cual, en medio de estos espacios perdidos y miserables del Riito, tiene la sagrada Misión de encontrar el Santo Grial.

Aprovechando una tregua de la llovizna, el enterrador llegó al cementerio. Un flequillo de luz fue desgarrando las nubes grises hasta volverse la luna entera. Solía aprovechar esas noches para cuidar que la lluvia y los animales no marcaran su huella sobre el cemento fresco de las sepulturas. Cuando cubría la tumba del Gua con periódicos viejos, la vio recostarse en la tumba de al lado. Su traje, que la cubría de pies a cabeza, se veía estrujado y obscuro. Ella arrancó con la guadaña un pliego de periódico y envolvió torpemente el cuadernito, para que no se le fuera a mojar.

–Tápele mejor aquel pedazo de la cruz –le dijo.

Y el enterrador lo tapó un poco más. Era la Muerte, que siempre se daba la vuelta por los cementerios desde el tiempo en que Cuca bailaba con Roquetán, para asegurarse de que cada final siguiera su curso. El enterrador estaba acostumbrado a sus observaciones. Juntos inspeccionaban las tumbas y en las noches de pocos difuntos solían hablar de cosas. la Muerte era bastante conversadora. Sus temas favoritos eran la guerra, la lucha libre y la farándula, aunque también discutía mucho de béisbol, porque la Muerte fanatizaba por el equipo de las *Estrellas Orientales*. El enterrador recibía respuestas a todas sus preguntas, menos a las de los futuros difuntos. En este punto ella siempre se hacía la desentendida y apretaba más el cuadernito en que traía anotados el nombre y la fecha de quienes iban a morir.

Esa madrugada, el Platanón despertó sobresaltado. Había soñado con un cementerio empañado por la llovizna. Un viento helado barría las flores marchitas y desgarraba a las tarjas su vestido de hojarasca. Entre las cruces cuarteadas, un hombre tuerto y desnudo señaló con un crucifijo hacia un rincón del cementerio. Allí viose aparecer, mansa e iluminada por la luna, a la vaca buscada toda la vida por el Platanón. El animal trotó con gracia hasta la puerta herrumbrosa y desapareció tras la ruptura del sueño. El Platanón se levantó de los periódicos viejos sobresaltado. Tomó la soga y continuó la búsqueda del animal cn medio de la madrugada. Pues era esa la única razón de su existencia en los diecisiete últimos años, desde aquel atardecer en que lo acusaron de robarse la vaca, y era ese, en los diecisiete años también, su único sueño.

«Escribo estas líneas para ti, Gala "¿Gala?", te preguntarás, extrañada de que te llame de ese modo. Ahora te espero. O no: simplemente estoy aquí en este

*banco, como si viera caer la lluvia. ¿Adónde irán,
húmedos de nostalgia, esos autos veloces? Somos –y
por eso eres Gala– cuatro los dos: Tú, mi Gala; yo, tu
Diego; Frida tú, Dalí yo. Cuatro vertidos amándose
en dos, aberrantes y tristes. En verdad, no te espero.
Estoy abandonado ahora y aguardo cualquier cosa,
porque desde la primera vez que regresaste me he
acostumbrado a esperar lo peor. Siempre lo peor.»*

El sacristán dobló cuidadosamente el papelito.
Sus ojos quedaron fijos y apagados en el recuerdo de
la amada. Un viento helado se filtraba por las rendijas
del cuarto. Escribir papelitos de amor constituía el
único acto íntimo que lo acercaba a Liberata. Desde
que descubriera su pasión por la mujer, se pasaba las
noches caligrafiando declaraciones, poemas, frases
románticas sacadas del *Almanaque Bristol* o de
cualquier otro impreso que llegara a sus manos.
Escribía o reescribía su amor sin importarle que el
texto proviniera de su propio peculio o de algún poeta,
pues su cerebro quemado por la pasión desconocía el
arbitrario concepto del plagio. Así, Liberata recibía
cada mañana esas declaraciones de Neruda, José
Ángel Buesa o Empédocles Vidal que eran sentidas
como suyas por el sacristán. Pero a veces, cuando el
papelito salía muy profundo o quizás poco decoroso,
las manos de Liberata lo acercaban temblorosas al
pabilo de la lámpara, como el de esta noche, que no
tardaría en ser una carta sin destino, otra paloma de
papel condenada al fuego.

*«Procurando que el mundo no la vea, ahí va la pobre
fea camino del taller. Y a su paso, cual todas las
mañanas, las burlas inhumanas la hieren por doquier.
Cuando alguno le dice una torpeza inclina la cabeza
transida de dolor, y piensa, con amargo y desencanto,*

¿por qué se reirán tanto de mi fealdad? ¡Señor!

Liberata arrastraba la cruz de su fealdad por los predios de Luis Canario, camino de la pulpería, no del taller, mientras la voz inmortal de Carlos Gardel fluía condolida desde la vellonera. La fea, sin darse cuenta, representaba al través de la orilla una especie de videoclip. Quizás inadvertida, traía los alimentos para el desayuno del padre Ruperto sin mostrar el gesto acongojado que exigía la escena.

»Una noche su viejita en su cuarto llorando la encontró, y la fea, ¡pobrecita!, la tragedia de su alma le contó. Aquel hombre que debía conducirla muy pronto ante el altar, con su amiga Rosalía, la que ella más quería, se acaba de escapar... Cada vez que la llevan a una fiesta en procura de olvido y distracción, con el último acorde de la orquesta en su alma agoniza otra ilusión. Sus amigas ya todas se han casado, sólo ella está huérfana de amor; ¡pobre fea!, y ayer le han encargado el ajuar de su hermana la menor...

Quizás ciertas especificaciones en el tango de fondo le impedían a Liberata empatar con la tristeza. Porque ella no tuvo nunca una madre ni hermanas ni un cuarto; por el contrario, era huérfana y ahora vivía como desahuciada en un cuartito levantado en el patio de la casa curial. Nótese además que una mujer tan fea y escasa de gracia jamás tendría pretendientes que la llevaran a una fiesta. Finalmente, no tenía ella ninguna amiga Rosalía ni, por supuesto, un novio que le pudieran quitar. Por tales razones, el arrullo matutino de la vellonera sucedía sin un apoyo real en aquella mujer que pasaba inadvertida, indolente, sin tener la suficiente consciencia de su fealdad como para matarse o simplemente echarse a llorar.

»En plena juventud ya estaba vieja, nunca

exhaló una queja al ver tanta maldad; soportando en su alma sola y mustia, como una flor de angustia la cruz de su fealdad. Para todos tenía una sonrisa, fue noble, fue sumisa, su drama nadie vio. Pero tan pesada fue su cadena, tan grande fue su pena, ¡que anoche se mató!»

Mientras desayunaba, el padre Ruperto sintió que el silencio de Liberata llenaba la casa con un rumor de pesadumbre. La vio fijamente un instante y descubrió en su rostro pálido y distante los despojos de la pesadilla.

—¿Otra vez, hija? —rumió, masticando una pieza de plátano.

—Era otra vez el mismo ojo, padre —musitó alelada—. Esa media mirada de carbón enrojecido. Anoche se metió por debajo de la bata y miraba de cerca rozándome la piel con fuego. Me asusta. No quiero volver a dormir... Ese ojo me quema los sueños.

El padre se apartó del plato y se acercó lentamente a la mujer. Se quitó el rosario y lo apretó entre las manos de ella susurrando fervoroso una oración. Luego enredóselo en el cuello, tembloroso, y le tomó las manos vacías entre sus manos.

—Siempre ese ojo, metiéndoseme en el sueño.

La ayudó a sentarse en la mecedora. La meció con detenimiento hasta que pudo ver claramente al través de sus ojos. *"Rezaremos juntos la oración a san Miguel Arcángel... Sólo así te podrás sacar ese ojo del sueño"*, le susurró, y comenzaron a orar en voz baja.

El enterrador entró por primera vez al edificio de la Gobernación un lunes primero de marzo al sonar la campana de las doce. Después de perderse por varios minutos buscando la oficina del gobernador, un señor vestido con un flus rojo y un clavel amarillo en la solapa lo remitió, con un tono de cortesía o fastidio, a la tercera puerta, a mano izquierda, al doblar por el pasillo. El enterrador siguió las instrucciones al pie de la letra y empujó la puerta con suavidad. Era un baño. Retrocedió turbado por la fetidez y volvić a perderse entre los pasillos.

—Dispénseme, doña —dijo a la secretaria, tras entrar a una de las oficinas—. El padre Ruperto me envió donde el gobernador.

"Aquí oí al padre que viniera", corrigió, y le informó del entierro de Policarpio *el Tuerto.* La mujer, sin dejar de pintarse las uñas, lo escuchaba azorada. Sobrecogida por la curiosa noticia, le hizo contar de nuevo la historia. Una vez más el enterrador repitió lo del suicidio, la negación de los oficios religiosos, la posterior sepultura y que eran setenta pesos. Tocada por una estupidez infantil, la secretaria lo sometió a un interrogatorio trivial: que por qué lo enterraron sin flores, que cómo recolectaron el dinero de la caja, que si el difunto veía de esta lado o de este otro... Finalmente, cuando la historia se le hizo vieja, la secretaria lo dejó solo en la oficina, nuevamente desorientado y sin darle razones del gobernador.

El camión llegó bajo el sol nublado de las tres. El vehículo no pudo cruzar el canal y tuvieron que echarse la carga al hombro. Cuatro hombres la llevaron en alto con majestuosidad, perseguidos por un cortejo de niños devorados por la fascinación y bajo la mirada vencida de un vecindario que veía pasar en aquellos hombros a la reina, el alma de la barra: la vellonera. Dos días atrás, un inspector de espejuelos, corbata y maletín había llegado al cabaret con dos policías y, tras informar que había recibido quejas de unos vecinos a través de la parroquia, claveteó un letrero en el frente del negocio, que rezaba *«Cerrado por Sanidad»*. Pero Luis Canario, que tenía sus relaciones desde los tiempos de *la estrategia del café,* fue donde el gobernador y consiguió una autorización para abrir de nuevo. La vellonera, que había sido decomisada por el inspector, regresaba ahora por lo alto, señorial, como un símbolo que marcaba el reinicio del gozo desenfrenado. Incluso, para mayor connotación, la reapertura de esa noche traería un espectáculo musical sin precedentes: la presentación del bachatero Teodoro Reyes, en vivo, en un mano a mano contra la vieja vellonera.

La mañana se llenó con el rostro agrio y estrujado del padre Ruperto. Había soñado con un dragón que aspiraba fuego y con una cabra que balaba lastimosamente. El dragón lo atacó con sus dientes de azufre y él, tras desarrollar un combate feroz, lo venció hundiendo a san Jorge su propia estaca en el corazón. Luego el viento se endulzó con un aroma de guineo maduro. La cabra acercósele con los ojos heridos de tristeza; lamió sus manos, el cuello, las orejas, el pecho, los muslos por adentro... El padre fue transportado a un estado de éxtasis que desembocó en un chorro de leche cálida. La cabra baló entonces sarcásticamente y desapareció copulando con el dragón.

Liberata entró para hacer el aseo de la habitación. Abrió las persianas, recogió la bacinilla e hizo una pelota deforme con el mosquitero. Por lo regular, ella no solía reparar ni meterse en las actitudes de la gente, por lo cual no le intrigó el rostro malhumorado del sacerdote al verla dispuesta a recoger las sábanas.

–¡No! –advirtió nerviosamente el padre. Estaba en pijamas junto a la ventana, mirando vagamente a un leproso que imploraba la sanidad al ramo de rosas azules que crecía en el patio de la iglesia–. Déjalas en la cama, yo me encargaré de recogerlas.

Liberata, sin objetar, desempolvó los muebles; recogió la cáscara del guineo de la noche anterior; trapeó la habitación, y preparó la lámpara por si en la noche se repetía el apagón. El padre permaneció todo ese tiempo inquieto y meditabundo. Con un desacostumbrado tono de ansiedad, preguntó en voz alta, casi para sí:

–¿Cuál será el límite de la piedad?

Liberata, que por naturaleza solía permanecer ajena a su entorno, cambió el agua de los floreros y, sin contestar la pregunta, que ni siquiera había oído, salió a la cocina para continuar la limpieza de la casa curial. El padre se paró a la ventana y vio que el leproso se marchaba con pasos vencidos. *"Si esas rosas hicieran milagros, ya me hubieran sanado de esta maldad estomacal"*, pensó, con esa racionalidad sombría que a menudo raya en el desprecio.

Desde los primeros días de su milagrosa aparición, las rosas azules fueron el destino de un intenso peregrinaje. Cada día llegaban al patio de la iglesia delegaciones de creyentes que venían a implorar algún favor. Y la Virgen, que tiene tanta influencia sobre Dios y nunca ha dado curso a la ira, prodigaba entre los feligreses el milagro de la sanidad. El padre Ruperto recogía celosamente los testimonios para presentarlos en la misa de domingo: El milagro de un mocho al que le creció la pierna luego de orar ante las rosas azules; el ciego que pudo ver a la Virgen y regresó a su pueblo sin bastón; yo, padrecito, quiero dar estos cien pesos, porque tenía una pelota en la boca del estómago y el rosal me la curó; una señora que tenía doce años pidiendo visa en balde en el consulado americano, se encomendó a las rosas y la visaron antier; y hasta yo, papadrecito, que nanací con proproblema en el habla y mire el mimilagro. Y en gratitud a las bondades de la Virgen, las canastas de la limosna se llenaban; hasta una alcancía que fuera colocada junto al rosal, la recogía el sacristán llena de ofrendas en los atardeceres. Pero a los pocos días las peregrinaciones se fueron agotando, porque las lluvias convirtieron el barrio en un espacio intransitable y porque, sólo a medio quilómetro de allí, se apareció otra virgen con mayor potestad de milagro: *La Rosa Mística.*

Dicen que yo soy machista porque me gusta este canto... Machistas son las mujeres, porque les gustan los machos. Bendita sea mi mama...

–*Por haberme parido macho* –respondía el Machote desde su mesa, con la voz estridente y arrítmica.

Los muchachos de la orquesta, siempre que les correspondía tocar en la barra de Luis Canario, interpretaban ese merengue de la *Toro Band* a dúo con el Machote, en una dinámica que de paso encendía las ardientes pasiones del cabaret. Sobre todo, al ensalzar la imagen de amante absoluto que tanto le gustaba proyectar al Machote, garantizaban los cien pesos de propina que éste solía darles emocionado cada vez que cantaban su himno.

Dicen que yo soy machista porque me gusta este canto... Machistas son las mujeres, porque les gustan los machos. Bendita sea mi mama... –Por haberme parido macho.

No sabe usted, Doctor, cuánto se está enriqueciendo mi visión del mundo ahora que veo con mis ojos la pobreza y palpo con mis manos la miseria. Sé que no es lo mismo padecer la miseria sabiendo que será para siempre, que experimentarla sabiendo que terminará tan pronto subas a una guagua; pero el espectáculo de la miseria es tan devorante que la mínima observación permite ser tocado por ella. Este viaje al corazón del Riito me ha aportado más que mis viajes al mundo soso de Disney World o a los fríos museos de Europa. Ahora me pregunto dónde tenía yo los ojos, que no podía ver la miseria del mundo. Dentro de algunos días regresaré a Santo Domingo con los pies mejor puestos en la tierra, Doctor, y con los elementos necesarios para mi novela monumental.

La clientela del cabaret escuchó el golpe de la puerta estrellada contra la pared. Vio al Machote salir de la habitación y pasar raramente decaído por el salón. Mirarlo sin saber que podía estar recordando el *"nunca olvides que eres hijo de tu padre",* que siempre le advertía su mamá raspando esas palabras como del fondo de un caldero o del corazón. Observarlo llegar a la salida sin reparar en la expectación, el humo, la mano de mujer que alcanzó a tocarle impúdica la entrepierna. Verlo marcharse sin volver la mirada atrás.

La China recordó al Gua que entraba al cabaret abriéndose paso señorialmente entre la humareda a media luz, después del enterrador haberle hecho con la mano un sombrío adiós desde la puerta. Veía venir a su macho correspondiendo con desdén a la simpatía cobarde que su fama de tíguere ácido despertaba. *La última noche que pasé contigo la tengo guardada como fiel testigo...* Los dos se encontraron junto a la vellonera. El preámbulo suele desesperar a los amantes ardientes, así que pronto se vieron refugiados bajo el bombillo rojo del cuarto. El Gua metió el cuchillo bajo el colchón, sacó del bolsillo una cajita envuelta en papel y se la entregó diciéndole feliz cumpleaños cosa chula. La abrazó y le oyó decir halagada que cumplía veintiséis, aunque sabía que era de un raro tipo de mujer que prefiere ponerse unos años de más para siempre estar oyendo que parece de unos años menos. La China, emocionada, abría el regalo cuidadosamente para no arruinar el papel. El Gua la miraba como pensando qué vaina. Las mujeres nunca entenderán que los regalos no hay que abrirlos con tanto cuidado, ya que el papel es desechable; algunas se defienden diciendo que sirve de recuerdo, sin entender que el recuerdo también es algo desechable. La cajita quedó desnuda al fin y en el fondo apareció un anillo... robado, claro está, pero de oro catorce. Ella lo tomó con la lengua y lo compartió con él en un largo beso. *Por qué te fuiste aquella noche y me dejaste con la ilusión...* Dos horas después volvieron a vestirse. Cuando el Gua se despidió, olvidó recoger el cuchillo y el escapulario que había caído de su camisa.

Esa fue la madrugada en que mataron al Gua. Lo rajaron con catorce cuchilladas. Era un cuchillo sin pretensiones, mohoso, mellado inclusive, pero santiguado con sal; luego se supo que después del asesinato lo empeñaron por trece pesos. Fue un episodio fugaz. Luego de regresar a la casa, un amigo llamó a la puerta. Él abrió desprevenido y una trulla de tígueres se encargó de la emboscada mortal. En el velorio se fue comentando que pudieron matarlo porque andaba sin el escapulario. Que eran veinte tígueres y él los enfrentó desarmado. Que lo mandó a matar la policía por participar en el asesinato de un político. Que no, que lo mandó a matar el marido de Caridad. Que los matadores entraron al velorio y el cadáver comenzó a sangrar. Que ya tenía vencido su pacto con el diablo... Pero lo único seguro de todo esto fue que esa madrugada mataron al Gua.

La tensión crecía con cualquier silencio, con cualquier gesticulación, con cualquier silbido. La discusión había iniciado cuando el Machote indicaba a su mujer la manera de sazonar el bacalao según su mamá y poco a poco se fue amueblando con otros argumentos que la hicieron insoportable.

      –¡Aquí el que se gana los cuartos soy yo, coño! –estalló el Machote–. ¡A mí hay que darme todos los gustos!

      –¿Y yo no merezco ningún gusto? –cuestionó la mujer.

      El Machote se puso de pie dando un manotazo contra la mesa y se paró a la ventana. Contempló con náusea al Mecedora, quien mariconeaba bajo la lluvia deshojando pétalo por pétalo una flor. Se volteó hacia su mujer. La miró inconcluso, la miró sin pensar que ella curiosamente estaba pensando *y pensar que cuando yo era una bebé este pendejo ya podía preñar a una mujer,* la miró distraído y temió por primera vez que los diez o doce años que le llevaba algún día se pudieran convertir en distancia. *"¡Ajá!, ¿y ésos gustos que te doy cada noche en la cama, eh?,* insinuó, regresando la vista hacia la ventana.

      –¿Y gusto de qué? –apuró Caridad antes de estallar en una risa cruel–. ¡Ay, mi hijo, si a ésta que está aquí tú nunca la haz hecho venir!

El Machote la miró consternado, sintiéndose arder en la rabia de los ojos de la mujer, perdido en la posibilidad de que los vecinos hubieran escuchado la confesión, refugiado en su instinto de supervivencia. Ella leyó la intención de sus puños y, envalentonada, llevándose las manos a la cintura, lo retó: *"¡Atrévete a ponerme la mano! ¡Tal vez puedes servir aunque sea para eso, blandito, poco hombre!"*

La amenaza lo inhibió. Se sintió niño y desarmado en medio de aquella sala. Retrocedió sin agresividad y se frotó las manos, digamos pensativo. Sin ningún alarde de violencia tomó una silla y despedazóla contra el cristal del seibó. Laboriosamente, sin exasperarse, hizo añicos la mesa y extrajo de ella una pata, con la cual meticulosamente, diríase que hasta con delicadeza, fue rompiendo todas y cada una de las piezas rompibles de la sala, salvo el retrato de su mamá. Cuando ya no quedó nada por destrozar, hizo un último y racional esfuerzo por astillar la pata de la mesa. No suspiró al final; sólo tomó su caja de herramientas y salió de la casa ante la mirada estupefacta de la mujer. Desapareció tras cruzar el canal, donde vio al Mecedora arrancar el último pétalo con desconsuelo.

El Machote trabajaba albañilería. Desde temprana edad había dominado el rudo arte de convertir varillas de hierro en simples estructuras capaces de sostener fuertes muros de concreto. Y era, por sus fortaleza y disciplina, maestro varillero... aunque este estatus quizás se debía a su antigüedad en el oficio. Hijo único, ese perro murió en una barra al momento de tú nacer, el Machote viose forzado desde pequeño a mantener a su mamá, cuya tendencia a subírsele el azúcar la tenía postrada en cama. El niño tuvo que jugar, sin otra opción posible, a ser el padre: el que traía el sustento, el que defendía la casa, el que veía como quien no ve nada a los otros niños jugar a ser niños. Verla un día con el azúcar subida al cielo, ay se te murió tu mamá, verse solo en el mundo, materialmente solo, y vuelto un muchacho que no tardó en reencarnar el recuerdo de su padre en los territorios de la albañilería, de la virilidad infinita, de los cabaretes. *"Nunca olvides que eres hijo de tu padre"*, solía advertirle su mamá con ese viejo rencor que parecía raspado del fondo de un caldero o del corazón. Sumergido en este mar, el Machote llegó esa tarde a la construcción más temprano que de costumbre. Distribuyó el trabajo de forma exagerada, exigió una perfección imposible a los ojos de Dios y se paseó de un lado para otro acusando de haraganería a sus subalternos. Nadie, salvo el Protagonista, sospecharía que esos improperios constituían la enmascarada expresión de sus frustraciones.

–Lleva seis días por ese estilo: llega borracho de la maipiolería y se acuesta en el mueble. No nos hablamos.

    –Es que le dijiste demasiado... Hay cosas que no se dicen, sólo se piensan.

    –Yo no tengo pelos en la lengua. Ese cabrón cree que me puede usar todo el día como a una chopa.

    –Sí; pero es mejor herir el pecho de un hombre y no su hombría.

    –¿Y yo qué, coño? ¿No es mejor herir el pecho de una mujer y no su *mujería*? El anda de maipiolería en maipiolería dándoselas de macho, mientras que a mí no me hace ni cosquillas. ¿Y yo qué?

    –Bueno, se preocupa porque no te falte ropa

ni comida. Es más, fíjate que desbarató la sala y volvió a comprarte todo nuevo. Eso debe valer algo.

–Eso no vale nada. Una mujer lo que necesita es que el hombre la acaricie, que la amarre, que le mame hasta los tuétanos, que la suba singando hasta la luna... como me haces tú.

Ese diccionario de dominicanismos de Pedro Henríquez Ureña me ha sido de importante ayuda para comprender la jerga de esta gente, Doctor. Pero el lenguaje de la calle crece más libre y veloz que los registros académicos, por lo que existen cientos de palabras recientes no incluidas en esa interesante obra. Le decía que por no conocer mejor el lenguaje del barrio, ayer tuve una pequeña confusión. Iba cruzando el canal, cuando un mozalbete se me acercó y me dijo: "Hi, yo, ¿quieres perico? Y yo, que he simpatizado con el Santo de Asís desde que analizáramos su biografía en la Logia, ¿recuerda?, le dije que sí; él me condujo a una pieza donde había un muchacho bailando heavy metal y un homosexual –a quien supe que le llaman el Mecedora, porque como que se mece caminando, Doctor–, el cual deshojaba una flor mientras movía su lengua teñida por el licor de menta. Mi anfitrión sacó algo del bolsillo del Mecedora; me extrañé de que un perico cupiera en una pequeña caja de fósforos. El mozalbete abrió la cajita próximo a mi nariz y pronto supe que el tal 'perico' era cocaína.

A partir de esta experiencia, me he sumergido en una reflexión sobre el futuro de mi novela. No puedo escribir sobre el barrio con otro lenguaje que no sea el del barrio. Y pienso que si yo pudiera configurar un lenguaje que recogiera toda la riqueza del habla popular, y lograra universalizar ese lenguaje, sería algo maravilloso. Hasta me sorprende que usted no haya incluido una posibilidad semejante en su excelente folleto Norma para escribir novelas. *Por esta razón, he obviado un momento el trabajo de llenar fichas para estudiar un poco la jerga del barrio. Espero que no le parezca contraproducente esta insignificante disgregación, Doctor.*

Emulando el ejemplo de Pedro Henríquez Ureña, he decidido preparar mi propio diccionario de términos populares. Al cabaret le llaman 'maipiolería', *mientras que* 'maipiolar' *significa* 'alcahuetear', *Doctor, y* 'cuero' *es prostituta. El ron,* 'romo'. *Fornicar es* 'singar'. *Así la frase "singar con un cuero de la maipiolería" viene significando* 'fornicar con una prostituta del cabaret'. *La gente, para significar que algo pasó hace mucho tiempo, usa la frase* 'cuando Cuca bailaba con Roquetán': *es el tiempo sin origen, el tiempo perdido en la infinitud. ¿Cómo entender estos subterfugios si no se conoce la traducción? Fíjese que hasta puede sonar como un poema de signos herméticos. Y he ido encontrando un sin número de palabras obscenas que no son aceptadas por la lengua culta, ya que la Real Academia considera que en nuestra lengua la indecencia lingüística no existe. Pero hay dos términos de nuestra habla popular que han llamado mucho mi atención. El primero es el término* 'tíguere', *adjetivo que significa persona habilidosa o ruin, según el tono con que se use. El otro es* 'pariguayo', *adjetivo que significa tonto, estúpido, incapaz, y del que he podido investigar que proviene del inglés* 'party', *fiesta, y* 'watcher', *vigilante, y que así le llamaban los invasores yanquis a los dominicanos que se quedaban mirando las fiestas desde afuera, como tontos. He notado que es difícil oír una conversación que no utilice estas dos palabras. Quizás sean los dominicanismos más establecidos; sin embargo, me extraña no verlos en el diccionario como un aporte al español universal. ¿En qué invierten el tiempo nuestros académicos? Estoy seguro que si fuéramos Argentina, Cuba o México las palabras tíguere y pariguayo aparecerían en los principales diccionarios de la Lengua Española, Doctor. Creo que en nuestro país Juan Rulfo nunca hubiera podido escribir* Pedro Páramo. *Por eso sigo con mayor firmeza mi tarea de investigar el barrio hablando directamente con la gente. Si viera usted qué iluminadora fue la conversación que tuve ayer tarde con un señor que se gana la vida como enterrador.*

—Y así somos la gente del Riito —acotó el enterrador, con los ojos vidriosos, mientras trataba inútilmente de sacar algo de brillo al caballo—. Pero ya es tarde para ablandar habichuelas. Me mudé aquí, al Riito, en los tiempos que Cuca bailaba con Roquetán, mucho antes de que hicieran el canal que parte en dos este barrio. Por aquí pasaba el río, pero como inundaba mucho, el Generalísimo lo desvió por otro lado y por aquí construyó el canal... Por eso este barrio se llama el Riito, porque tiene el río de antes, aunque chiquito.

Silencio. El enterrador le limpió las legañas con un trapo. *Los ojos de los caballos son como se ven tras el cristal los ojos de los muertos,* anotó Benedicto en su libreta de apuntes.

—La vaina comenzó a joderse despúes que al Generalísimo lo mataron... porque el Generalísimo era recio, pero en su gobierno había que respetar —afirmó, mirando al muchacho con cierto desafío—. Tan así es que después de su muerte este país se volvió una mierda. Una recua de desórdenes, golpes de estado, la revolución, los americanos, los fraudes en las elecciones... cosas que el tiempo ha ido dejando. Mire, el Generalísimo duró treinta años en el poder, y de allá para acá han pasado como otros treinta años, y a mí no hay quien me demuestre con números que durante el Generalísimo se robó, se mató y se abusó más que después del Generalísimo... De ahí para acá el Riito no ha servido jamás. Esto se ha vuelto un hervidero de tígueres, ladrones, drogadictos, maricones, maipiolerías a más y mejor. Un molote de campesinos embullados que viene aquí corriéndole a la miseria del campo... Usted le preguntaba al padre Ruperto que por qué no hacemos algo. Pero aquí no queda nada por hacer: Ya esto se jodió.

El muchacho terminó de mirarlo pensativo y le pasó los veinte pesos. Le susurró finalmente al oído que él era Benedicto Pimentel, escritor de novelas. *El enterrador estrujó el trapo en la pelambre opaca del caballo. Silencioso, casi a punto de llorar. El muchacho le dio una palmada en el hombro huesudo y lo dejó solo.*

La tarde se dejaba derribar mansamente por el crepúsculo. El sol, con una pose de postal de los años setenta, agonizaba tras la loma pelada. La humedad penetraba las paredes de aquel cuarto que empezaba a borrarse entre las sombras. Benedicto contemplaba en silencio a Geofredo y Santiago, quienes esperaban a que *Morgana* bajara la olla del fuego. Ella repartió el té en partes iguales. Los demás bebieron ávidamente y encendieron un cigarro; pero el muchacho se quedó como embelesado mirando su vasija.

—Es para beber, no para mirar —le indicó secamente *Morgana,* ese raro ser que frente a sus espejuelos oscilaba entre la mujer y el hada y que en los atardeceres parecía tener todos los años de la tierra o ninguno.

–¿No conocíais las propiedades etéreas de la nuez moscada? –preguntó Geofredo.

Benedicto respondió que no, con los ojos perdidos en el hada. Santiago le indicó que lo bebiera todo de un trago, sin respirar. Lo primero que sintió fue el ardor del té, luego un amargor pastoso y finalmente un hondo penar que hasta entonces no había conocido.

–A éste la química le está dando por llorar – quejóse *Morgana*.

–Habrá que hacerle la pirámide –oyó el muchacho que dijeron con un cantar lejano o con la voz engomada de los sueños.

Fastidiada, *Morgana* rebuscó en la cartera y sacó un sobrecito. El muchacho vio la operación girando en medio de todo el universo que le daba vueltas. El desierto era un espejo. Su rostro se reflejaba agigantado. Una minúscula pirámide de polvo se vertió en el horizonte, modelada por una navaja desechable. *"Abre la nariz"*, dijo en arameo la bestia con voz de mujer. La abrió, *extendió su mano sobre el mar*. La mujer le sopló durante toda la noche un fuerte viento que secó el mar, *se dividieron las aguas*. Y en ese momento fundiéronse dos paisajes: el mar Muerto cruzado por una franja de tierra y el Riito cruzado por una franja de agua, y sobre ellos la sombra de las manos del patriarca Moisés y del Generalísimo. La pirámide de polvo fue a parar, desintegrada, en las fosas nasales de Benedicto. Pronto se sintió menos apenado, luego bien alegre y con la sensación de que el mundo era tan pequeño como una semilla de mostaza. Vio claramente a los demás aspirar pirámides de polvo del espejo. Silencio.

–*In hoc signo vinces.* La sesión de la orden de la Última Virtud queda abierta.

La bienvenida al mundo de las visiones. Fue la voz de Geofredo *de la Dulcísima Cruz.* Santiago dio a inhalar el vapor que brotaba de una pipa de cristal. Benedicto quedó inerte hasta sentir que se dormía. Una nube polvorienta se encendió ante sus ojos. *"Dejasteis secar la sangre del grial"*, advirtióle José de Arimatea... *"Mas no importa, la sangre tarde o temprano se evapora; lo vital es que conservemos este grial que recogió la sangre de Nuestro Señor en la cruz"...* El Santo Grial bajo una media luna. *"En nombre de Dios, juro donar mi vida, si es preciso, con tal de llevar a buen término la empresa de librar de manos impías el Santo Grial",* aseveró el caballero Perceval frente al estandarte de la santa cruzada que dirigía Benedicto. *Morirán en la hoguera los templarios,* pero sinceraos, Vuestra Alteza, no os interesa realmente castigar la supuesta herejía de estos guerreros, sino hacerles caer en desgracia para apoderaros de sus ricos tesoros, yo soy el Papa, Vuestra Alteza, ante mí no podéis mentir. *Sí: he renegado de Dios, he escupido tres veces sobre la cruz, he sido besado en el trasero y he adorado también el Baphometo... He hecho todo lo que vosotros queráis imaginar; mas no me torturéis de nuevo en el potro, os imploro.*

Y vio que una serpiente de mil pezuñas agujereó la tierra. Luego tomó un libro de arena y se puso unos lentes inmensos de concha de carey, y leyó, escribiendo a su vez sus palabras con fuego en la cáscara madura del cielo: *Vosotros, los templarios, quisisteis salvar la humanidad mediante el Santo*

Grial. «Pero luego de tantas fallidas y costosas cruzadas, el gran maestre Santiago de Molay intuyó *"que así –escribía la serpiente sobre el muro de calque así como un solo pecado caído sobre un hombre puede condenar a toda la humanidad, así mismo una sola virtud caída sobre un hombre puede salvar a toda la humanidad".* En consecuencia –retomó Chrétien de Troyes–, el objeto del Santo Grial sería salvar a ése solo hombre, por lo cual ya no harían falta ejércitos poderosos ni grandes fortalezas: La temeraria orden del Temple se trasmutó así en la orden de la Última Virtud, a la cual vosotros pertenecéis.» Entonces Santiago de Molay, desnudo frente al fuego, con el rostro cortado por una gota de sudor –no de llanto–, dijo: *Voy a morir en seguida y Dios sabe que sin motivo. Predigo que no tardará en caer el rayo divino sobre quienes nos condenan sin justicia. Muero en esta convicción.* Creen los druidas que fue entonces, o después, que cayó la lluvia de fuego sobre Gomorra.

Afuera, la luna helada como un flash perpetuo. La brisa ondeando imprecisa y sonsa. Una canción de la vellonera repartía su eco nostálgico entre los patios infectados de perros hambrientos, que se amaban amarrados por los sexos. Los perros eran dos, y machos: perros maricones, pues. De pronto se incendian y cruzan aullando hacia la otra visión. Son los perros del Señor. *¡Domini canis!,* predicaba el fraile a la recua de indios desperdigada entre los árboles, los negocios de la Providencia no deben ser reducidos a las lenguas vulgares, pero como de todos modos vosotros carecéis de alma, perdone Dios esta excepción. Os decía que la santa Reliquia fue desde entonces guardada celosamente de generación en generación por caballeros de la orden de la Última Virtud que fueron designados misteriosamente por la Providencia y que conocieron su sagrada Misión mediante la conjunción de ciertas señales inconfundibles. Cuando los navegantes vencieron los monstruos marinos y descubrieron estas tierras paradisíacas de América, la Orden transfirió la Joya a esta isla de La Hispaniola, precisamente a esta ciudad de la Concepción de la Vega, sitio bendecido por los primeros bautizos de salvajes y maldecida por no haberse concentrado antes tanto odio y ambición en un puñado de tierra. Fue traído por este humildísimo siervo de Dios que ahora os habla no en latín sino en lengua romance, fue traído por mí, fray Tirso de Molina, y enterrado en esta ciudad perdida en un lugar que a vuestra curiosidad pecaminosa no os será dado conocer... El fraile hizo silencio y, tras absorber de la crátera la última gota de vino, vio una gran obscuridad borrar las visiones.

–Geofredo, Santiago y vosotros sois los últimos caballeros de la orden de la Última Virtud. Si fracasáis en la sagrada Misión, se perderá para siempre el Santo Grial –sopló en el viento *Morgana*.

Benedicto despertó por partes. Preguntó la hora. Tres de la mañana. Los cartones del techo se oían arañados por la llovizna. No quiso acabar la noche en aquella pieza. Bajó la escalera y se internó en la obscuridad. Celajes de luz dejaban vislumbrar retazos del barrio, y era como ver la miseria por una brecha, observar la radiografía del hambre, sentir la derrota del sueño, en fin, ver aquella realidad carente de visión o emergida desde el fondo terrible de las visiones.

«Con cara preocupación y profundo desconcierto he ido recibiendo los faxes suyos desde aquel rincón podrido llamado el Riito. Le exhorto a que salga pronto de ese antro de perdición antes que puedan

sucederle males irreparables. De hecho, obra mal haciendo sociedad con sujetos como el Geofredo y el Santiago, quienes presentan un cuadro síquico preocupante... sabrá Dios si las representaciones "esotéricas" que usted les achaca a sus imágenes sensoriales no son más que tristes alientos de la drogadicción, ansias erradas de protagonismo. En mi condición de su mentor literario, le aseguro que para escribir una novela trascendente no hay que arriesgar tanto; porque la literatura es un producto elevado del intelecto. Su ejemplar de mi Norma *para escribir novelas le puede proveer de sobra los elementos que necesita. (Le informo que la novela* Prometeo *de Confesor Custodio, quien usa la* Norma... *como texto de cabecera, acaba de ganar una quinta mención honorífica en el certamen literario de las patronales de su pueblo, para honra de la Logia.) Me preocupa su formación literaria, Benedicto, por lo cual le aconsejo abandonar esas vacaciones peligrosas. Pienso enviar una copia de este fax a sus padres, para que no vayan a pensar que yo motivé su riesgosa empresa en caso de que le provocare daños lamentables. Es mi deber. Recuerde que la Logia potencia orillar con aliento lírico la dimensión trascendente a través de una nueva veta creadora que remoce jubilosa el destino de las letras nacionales, así que déjese usted de curcutear la realidad intrascendente del bajo mundo. Además, el tiempo de Juan Rulfo quedó en el pasado.*

   Reitero mi apelación a la cordura.
   Dr. Prudencio de la Hoz.»

Pues váyase usted a la mierda, Doctor. Al fin comprendo los estrechos límites de su visión artística. Con razón muchos le acusan de académico helado.

Sepa que una novela es, por encima de todo, una vida. Ya había notado una ausencia en su Norma... *ahora descubro que esa carencia es de vitalidad, de sinceridad humana. Y no me crea pedante, pero voy a demostrarle que se puede escribir una novela sin aplicar nada de la* norma *trazada por usted. Ahora recuerdo que cuando Pedro leyó en la Logia el manuscrito de su libro de cuentos cortos, usted le pidió inexplicablemente que los reescribiera* "para que los alargara", *porque en el criterio suyo el cuento corto era un cuento largo pero chiquito; suerte que él no le hizo caso, como tampoco yo se lo haré esta vez. Si quiere puede ir personalmente a mi casa y soltar el chisme; de todos modos no voy a dejar de lado mi plan. Si supiera cuánto lamento haber confiado en su persona, porque le falta sensibilidad para aprehender la esencia del arte. Usted no me hace falta, Doctor. Lo único que un escritor no necesita es un crítico de cabecera.*

Luego de leer el contenido del fax, Benedicto lo entregó a la lámpara. El papel se infló lentamente y comenzó a desperezarse, como con angustia, como si estuviera vivo y quisiera escapar de la llama. El mismo incendio, un poco más dilatado y que por mayor tiempo multiplicó la luz, se repitió en el subrayado folleto *Norma para escribir novelas.* Santiago se apoyó con energía en los hombros del muchacho.

—Hicisteis bien al mandarle esa nota —opinó confiado—. Significa que estáis madurando. Habéis dado otro paso al quemar ese estúpido folleto. Y alcanzaréis la madurez absoluta cuando arrojéis también la novela en el fuego.

VELLONERA TRES

Donde se divulgan los menesteres del Santo Grial, los desazones del Machote con Caridad su mujer, así como lo que aconsejóle la señora que tiene misterios, el bueno y ciego amor del sacristán hacia Liberata y la apertura del diario de Benedicto, a lo cual ha de sumarse un exquisito repertorio de bachatas y boleros aciagos, todos recogidos por la deplorable pluma de un humilde servidor.

Quiero estar solo con mi dolor,
emborrachar mi corazón.
Mi compañera: una canción
y una copa de licor.

–Luis Segura

PORMENORES DE LA COPA AMARGA

El padre Ruperto y Liberata caminaban presurosos hacia la casa del sacristán, quien estaba en cama por obra de una paliza que le propinara una patrulla la noche anterior. En la casa fueron recibidos por la madre del enfermo, la cual requirió primero la bendición y luego los condujo a un cuarto nublado de sombras. Parecía una mujer hueca, lejana, a la que se le dificultaba hacerse sentir. Abrió una persiana y los visitantes descubrieron en el lío de las sábanas el rostro del sacristán. Tenía los ojos amoratados y levemente heridos por la luz. El sacristán sintió que el cuarto se inundó con el olor intenso del alcanfor.

"¡Qué barbaridad!", exclamó el sacerdote. Luego entró el hermano menor y narró que la policía los detuvo cerca del billar; el cabo dijo a estos tígueres los conozco; yo me quedé callado, respetuosamente señor, pero éste se puso a hablar, pidiendo más respeto, y fue cuando el cabo dijo ay, míralo, poniéndose de malcriado con la autoridad, y entre todos le entraron a golpes; a mí no me pusieron la mano, porque yo sé amarrarme la boca en esos asuntos; después nos querían llevar para el cuartel y yo le dije al cabo: respetuosamente señor permítame regalarle estos veinte pesos para los cigarrillos, y en ese momento él dijo coño allá va el Gua, entonces cogió mi dinero como ronzando, y nos liberaron para perseguir al Gua.

Yo cargué a éste en hombros y lo traje para la casa.

–Le dieron hasta con el cubo del agua, padre –añadió, con innecesario dramatismo–. Mamá dice que esas bestias merecen un castigo de Dios... Ella iba a querellarse, pero como la pobre es tan indefensa... Además, eso sería como echar el pleito del huevo y la piedra.

–¿Ya lo llevaron al hospital? –quiso saber Liberata.

–¿Para que lo dejaran morir entre tanta miseria? No. Mamá le amarró las cortadas con tabaco y gas. El no necesita más que eso.

Los ojos lánguidos del sacristán, ojos de perro apaleado, se embelesaron contemplando a Liberata. Su nariz apenas se sobreponía al penetrante olor del alcanfor. Ella lo notó y, sin curiosidad, se le quedó mirando. El hermano menor advirtió silencioso esas miradas.

Las mañanas de domingo se limitaban a una luz oxidada, gris, y a algún bolero de Julio Jaramillo escapando a todo volumen de la vellonera. La China solitaria en la barra, llenándose de viejos recuerdos. Unos años atrás, luego de ser convencida por un "vicecónsul" que prometía *ponerle alas a tus sueños,* hipotecaron la casa paterna y le compraron un pasaje hacia España, donde, según el tipo, la cónsul dominicana la recibiría y la pondría a ganar muchos dólares trabajando como doméstica. En efecto, la diplomática fue a recogerla al Barajas. Pero en vez de ser conducida a una casa de familia, fue enclaustrada en un cabaret donde tuvo que entregar su virginidad y su sueño de hacerse millonaria. Un año después la sorprendió una redada, y cuando regresó deportada, sus padres, que habían perdido ya la casa por no poder pagar la hipoteca, se negaron a recibirla. Nadie hubiese sospechado que una muchacha de buena crianza, educada incluso por las monjas del Politécnico, la que ganara una media beca para estudiar inglés por correspondencia, la que más fácilmente hubiera podido emigrar a Nueva York, terminaría convertida en un vulgar cuero de cortina... Pero qué otra cosa podía hacer ella para sobrevivir, si además le gustaba eso de ir intercambiando cuerpos. Al inicio, el chino objetó que el nombre de Angela no vendía, y como en el Royal Palace no había ningún cuero que se llamara la China y en todos los cabaretes siempre debe haber una que se llame así, a ella la bautizaron con el nombre de la China. Desde entonces se ganaba la vida bregando con borrachos, dosificando el repertorio amargo de la vellonera y singando en las nocturnidades hasta el hastío.

–China, China –dijo Crucita, sacándola de golpe de sus cavilaciones–. ¿Supiste la última? Al Gua se lo llevaron preso.

–¿Gua japen? –preguntó en inglés.

–La policía lo detuvo anoche, cuando él venía de acostarse con la mujer aquélla, la que sabemos...

–¡Qué barbaridad! –exclamó sincera, porque para ella el Gua no era un tíguere más. La noche que se conocieron ella trabajaba en el Royal Palace. Los dos bailaron al compás de la voz, la percusión, las cuerdas, el bullicio. Un calor inseguro y tremulante recorría las curvas de su cuerpo. Luego esa llamarada que el sudor seguía multiplicando. El le tanteó con la mano temblorosa la tibia unión de las piernas. "Sí, agárrame ahí, apriétame el toto", le susurró ella atrapándole la mano entre las piernas. La mano como que dejó de sentirse y sólo ése hálito –el arcángel de la lujuria desatado en el deseo– la fue derribando hacia el fondo de un precipicio desfondado. "¡Chino, súbeme una cerveza y otra cubeta de agua!" Y el Gua no sólo llegó a singarla a fuego vivo, sino que fue el primer hombre que tuvo la delicadeza de descubrir que ella tenía cocomoldán.

El sacristán mandó a comprar una mano de guineos. Casi nadie la probó, lo cual dejó campo abierto a la voracidad del padre Ruperto. Pelaba cada fruta con el mismo encanto que se desnuda a una mujer. Luego la digería a mordiscos veloces. Entre las breves treguas del pelar, el padre desarrollaba una apología del guineo.

 —Les aseguro que la naturaleza divina no ha dado otro fruto más delicioso y saludable —dijo, y lo comió. Y volvió a pelar otro—. En el seminario leí una vez que hace siglos un investigador europeo descubrió que el Edén estaba ubicado no en Africa, sino aquí en América. Para probarlo mostró una mesopotamia de cuatro ríos y aseguró que la fruta prohibida no había sido la manzana, sino un guineo.

 Y lo comió. Y mientras pelaba contó cosas maravillosas, e incluso recitó un soneto de Petrarca que supuestamente alegorizaba al guineo. Los otros lo escucharon contagiados por su apetito; pero a lo mejor comprendieron que él era la persona más digna de devorar aquel manjar matutino. Cuando se acabó el último guineo, el padre tomó un vaso de agua, le hizo una cruz en la frente al sacristán y dispuso la retirada. Al abrir la puerta de la calle, oyó una voz a sus espaldas, "ay se van a ir lloviendo", y sólo entonces reparó en que la madre del sacristán había estado entre ellos.

En la intimidad del cuarto, el sacristán suspiró aliviado,

añorando el recién esfumado aroma del alcanfor. Por un momento temió que los visitantes hubieran descubierto algún vestigio de su colección de revistas pornográficas.

—Liberata y tú como que están por algo —reveló el hermano menor.

El sacristán intentó levantar la cabeza, sobresaltado, pero no pudo. Se limitó a proferir un ruboroso *no* que se quedó enredado entre sus labios partidos.

—Bueno, por lo menos a ella se le nota la asfixia —añadió el otro—. ¿No viste cómo te comía con los ojos?... No seas tan pariguayo, que tú estás muy viejo para no haber tenido amores. Además, la paja cansa...

La situación, vista de golpe, se tornó pesada para el sacristán. Fingió dormir. Pero media hora después, vencido por la ansiedad, confesó su amor por Liberata. Imponiéndose penosamente a las cortaduras, detalló los papelitos de amor, sus tormentosos desvelos, los continuos desaires... Mientras escuchaba su historial amoroso, el hermano menor pensó que Liberata era demasiado fea para merecer tanto empeño, *"pero como para el gusto se hicieron los colores",* concluyó, le propuso al sacristán un plan ambicioso que tenía un objetivo único y concreto: La conquista de Liberata.

Coloquio de la realidad

Geofredo yacía desnudo en el centro del cuarto, tendido con los brazos en cruz dentro de un triángulo de ceniza. Un chorro de luz lo volvía transparencia mientras su voz hilaba frases de alguna lengua muerta en tono de oración. Luego de un silencio, purificó su cuerpo con agua de rosas y procedió a vestirse ceremoniosamente: sandalias, una capa atada a la cintura con la cuerda de una alforja, un báculo y la vieja espada. Abrió la ventana hasta que el viento deshizo los trazos de ceniza y después pidióle a Santiago que la cerrara, pues la lluvia comenzaba a empapar las tablas del piso. Al verlos maniobrar a dúo, Benedicto se divirtió con la idea de que ambos parecían actores de una obra de teatro pueblerino en la que el don Quijote quedó demasiado gordo y el Sancho resultó demasiado largo.

—Iniciemos el campamento, caballeros.

Santiago y Benedicto apuraron el té de nuez moscada.

—Así que dudáis pertenecer a la Orden porque no os habéis inscrito en ella —lo encaró el gran maestre sin reservas—. Lo dicho por Santiago es cierto: La luna es sangre y vos, al igual que nos, pertenecéis a la Orden no porque lo hayáis elegido, sino porque fuisteis elegido por la Providencia desde la eternidad. ¡Regocijaos, Benedicto!

La discusión venía de la tarde anterior. El muchacho, recaudando una sobriedad que pronto atentó con sacarlo de juego, había tomado a broma la idea del Santo Grial, lo cual trajo una discusión que amenazaba con tornarse reiterativa, hasta que él, sugiriendo una tregua, se apoyó en la categoría del libre albedrío para poner en duda su pertenencia a la orden de la Última Virtud.

—El libre albedrío supone el azar y la libertad absoluta —respondió Santiago, o el Séptimo Ángel—. ¿Y quién os ha dicho que existe una libertad absoluta? Ninguna criatura viene al mundo por y para el azar. Todos los hombres ocupan un lugar en el plan infinito del Señor. La Providencia, desde el principio de los tiempos, nos ha elegido como piezas de este juego divino de Dios que es el universo. El libre albedrío no es otra cosa que la capacidad de reflexión y acción en el hombre para ejecutar los designios de la Providencia.

¿Pero dónde dejamos la realidad? La realidad existe. Y cada quien es dueño de su realidad. Si es así, entonces, ¿cómo puede pertenecer alguien a la Orden si no la reconoce como parte de su realidad? Este era básicamente el planteamiento de Benedicto.

  –La realidad, la realidad... –vaciló Geofredo, repitiendo esta palabra hasta que la lluvia pareció estar hecha de fuegos artificiales–. La realidad es más compleja de lo que el hombre viejo supone. La realidad no es solamente aquello que vivimos, sino también aquello *en que* vivimos. Es soñar y ser soñado, tocar y ser tocado, amar y ser amado... ¡La realidad lo es todo! Lo que nos permite ser es real. Y así como podemos subvertir la realidad, igualmente la realidad puede subvertirnos... Es el caso de este barrio, en el cual todos los sucesos convergen irremediablemente a un destino: el Santo Grial. Es vuestro caso, señor mariscal, cuyo destino siempre estuvo ligado a los afanes de la Orden.

  –La realidad constituye una sumatoria de sucesos arbitrarios –repuso Santiago, sin levantar los ojos del borroso portulano–. El hombre viene al mundo solitariamente. A su alrededor gira una infinidad de sucesos. La tarea del hombre es insertarse en los sucesos que le corresponden. Si acierta, vivirá plenamente; pero si se inserta en los sucesos que no le corresponden, su existencia será maldita. La diferencia entre ser feliz y ser desgraciado radica en insertarnos o no en los sucesos de la realidad que nos corresponden.

  "Y a vosotros correspondéis los sucesos del

Santo Grial", tronó la trompeta del ángel, antes de abrir el sello de la bestia.

El hermano menor llevaba media hora en la iglesia tratando de convencer a Liberata. La bondad en el rostro de la mujer hacía que la repugnancia diera paso a un raro sentimiento de piedad. No hay cosa peor que la santurronería en las mujeres feas; la putería les sienta mejor, porque ofrece la remota posibilidad de que se les pegue algún romance.

—Yo vine para eso, para ver si usted puede atender a mi hermano de vez en cuando, mientras él se mejora.

Liberata insistió en preguntar de nuevo por qué su mamá no se ocupaba de eso.

—Mamá es medio ida —lamentó—. Y yo no tengo sangre para bregar con enfermos. No como usted, que nació con ese arte... Además, como son hermanos de la Iglesia, estar juntos le caerá bien.

Liberata finalmente accedió, incauta, incapaz de desentrañar los golpes bajos del amor. El hermano menor, conforme con el éxito de la primera fase del plan, tiró al zafacón el papelito de amor que nunca le hubiese entregado. Se retiró sin levantar los ojos ni despedirse, a lo mejor para ahorrarse mirarla una vez más.

La cita era, al fin, para esa mañana. El enterrador llegó temprano a la Gobernación, rasurado y vestido con sus mejores ropas, por aquello de que según tú vistas así te recibirán. Vestía una guayabera manchada indiscretamente que venía de la época de la inauguración del Cementerio Municipal. El antedespacho estaba colmado de visitantes; pero él había conseguido una silla y aguardaba su turno con calma. Después de numerosas incursiones fallidas, después de enfrentarse desesperadamente al monstruo implacable de la burocracia, había logrado al fin que le dieran una cita para hablar con el gobernador. Fueron muchos los escollos que debió vencer para llegar a ese momento, desde soportar estoicamente la indolencia de las secretarias hasta la bochornosa consecución de un carnet del Partido. Y tal vez no hubiese perseverado tanto en ese malabar de no ser porque la Muerte lo animaba, que ten paciencia, que hasta yo misma he tenido que soportar la burocracia para diligenciar ciertos difuntos, que no seas pendejo, carajo, defiende tus setenta pesos.

Contemplaba con fruición cómo la secretaria se afanaba en imponer el orden entre los visitantes: llamaba la atención a los impacientes, abría la puerta con mala voluntad, dejaba entrar con decencia a algún adinerado que acababa de llegar. Mientras esperaba su turno, el enterrador releyó, por si acaso, el cuadernito que traía copiado en su memoria. Pensó que después de cobrarle los setenta pesos, le daría al gobernador algunos consejos sobre la limpieza del cementerio y a lo mejor cabildearía el puesto de jefe de zacatecas, vacante desde los tiempos en que Cuca bailaba con Roquetán. El *Angelus* de las campanas de la catedral lo sacó de sus meditaciones. Miró a su alrededor y reparó en que desde hacía rato la sala estaba vacía.

—Disculpe usted —dijo, desazonado, estrujando la cachucha entre las manos—. ¿Cuándo toca mi turno para hablar con el gobernador?

La secretaria, rostro demacrado y maquillaje en ruinas, lo miró afectada por un falso dramatismo. El enterrador hundióse en una honda desazón. Se vio a sí mismo otra vez perdido en aquellos pasillos devastados, a merced de ese monstruo de mil ojos hastiados y mil dedos atados a máquinas de escribir que es la burocracia.

–¿Y usted no lo conoce? –preguntó, y ante la negación desprevenida del enterrador, mintió–. Pues si él hubiera sido perro, lo muerde a usted. El gobernador pasó hace diez minutos... Vuelva el viernes de la semana entrante para ver si se le puede dar otra cita.

LA ROSA DE LA HERRUMBRE
Novela inédita
de Benedicto Pimentel
CAPITULO 48

En su afán de hacerse digno del juego de la Orden, Benedicto narró un sueño, a su juicio de naturaleza profética, que dijo haber tenido la noche anterior. En la galería de un castillo manchado de sombra vio un altar con trece cirios que ardían alrededor de una copa de diamante. Un golpe de viento abrió cien ventanas y la luna iluminó a un caballero de la Mesa Redonda, el cual vestía una preciosa armadura. El caballero tomó la copa de diamante. En ese instante, un rayo que destruyó los cristales de las cien ventanas decapitó al caballero, de cuyo cuello trunco escapó una bandada de pájaros negros. Los trece cirios se apagaron lentamente y la copa de diamante quedó perdida en la penumbra.

Geofredo soltó la liga y una chorro de luz le pobló la sangre. Contempló al muchacho, que se veía desnudo en el fondo del mar. Dijo la sirena, por la boca de la sirena:

–Al parecer no termináis de iniciar. Hasta que no os despojéis de la reticencia y la duda, no podréis avanzar un solo paso en el camino de nuestra sagrada

Misión. Y mientras más tardéis en aceptar los secretos designios de la Providencia, será más tarde para la humanidad.

Santiago soltó la liga. Dijo después, desganado:

—No podéis engañarnos: vosotros no soñasteis tal cosa.

Benedicto sintióse desnudo. Geofredo, fastidiado por los silbidos de la sirena, taponóse con cera los oídos y ordenó la clausura de la sesión.

Una vez derrotado por los dragones de su propia mentira, vieron al muchacho retirarse. Los dos hombres quedaron a solas. Ambos compartían el cuarto y la suerte desde hacía muchos años. Aves raras para la gente, tígueres extraños, aburridos se decía; no daban un golpe ni robaban y ni siquiera se les veía por la barra; siempre drogándose con lo que fuera en el cuartito del segundo piso. Si tuvieran fama de maricones el misterio quedaría resuelto, pero ni siquiera eso eran. Su lejana amistad había sobrevivido a la división del movimiento gnóstico y a la crisis. Comían el mismo pan, fumaban el mismo pitillo de marihuana, soñaban el mismo sueño. Y más allá del humor literario de Benedicto, eran en realidad la copia viva de los espíritus de don Quijote y Sancho Panza.

—¿Estará realmente Benedicto iniciado en los misterios de la Orden?

El otro encogió los hombros:

—No podría jurarlo. Es un muchacho inexperto y demasiado crédulo. La sed de aventura y la credulidad lo conducen a confiar fácilmente en cualquier cosa que huela a imaginación, lo cual le impide penetrar al fondo de la verdad. Y hasta quiere escribir una novela... Creo que no comprende que la

Misión es más que un juego, más que un catálogo de imágenes escapadas del hachís.

Geofredo pareció atascado en un instante de silencio.

–Le pondremos una prueba –decidió finalmente.

3 de marzo: San Emeterio, san Celedonio, san Mariano.

Hoy inicio este diario de confidencias. No sé si le sucede a todo el mundo, pero yo me siento extranjero de mí mismo cuando escribo mis cosas íntimas. Es como hablar a un grabador o a un espejo; dejar en objetos insensibles y fríos el rastro de nuestros sentimientos más profundos... Quizás sea en esta frialdad donde descansa nuestra tendencia a confiar en ellos. Si el confesor o el psicoanalista no mostrasen esa frialdad, pocos confiarían en ellos. Porque hay cierto placer en contar nuestras intimidades a terceros a quienes no les importan. Pienso que eso vindica a ciertos desconocidos que se sientan junto a nosotros digamos en la guagua y sin ton ni son nos cuentan toda la historia de su vida... Ahora mismo no recuerdo cómo comenzaron sus diarios Henry Miller o Ana Frank, pero supongo que primero van las generales. Me llamo Benedicto Pimentel; soy natural de la ciudad de Santo Domingo, donde radico con mis padres. Tengo veintidós años. Estudio Administración de Empresas en la universidad, aunque mi verdadera vocación es la literatura. Nunca he carecido de abundancia material, pues mi padre es un rico empresario, y tampoco me ha faltado el cariño de mami.

4 de marzo: San Casimiro, san Eugenio, san Basilio.

Aún es 3 de marzo. Estos diarios traen poco espacio y debí cruzarme a la siguiente página. Parecen reducirte al cliché de «me desperté a tal hora, · conocí a tal fulano, me acosté a tal hora.» ¿Dónde habrá conseguido Casanova el cuaderno para escribir su diario? El único momento crítico que recuerdo de mi vida sucedió no hace mucho, cuando tuve que inscribirme en la carrera de Administración para complacer a mi padre. Vi que mi vocación literaria caía en un limbo. Pero gracias a las musas, en la universidad tuve contacto con el Dr. Prudencio de la Hoz, reputado crítico, quien me introdujo a las veladas de la Logia Litterarum, sociedad literaria que aportó −es justo reconocer− mi primera experiencia sistemática. Bajo las directrices de mi entonces mentor, pronto me embarqué en una empresa apasionante: la escritura de una novela. Una novela única, trascendental, que recogiera la esencia de la gente de abajo. Como parte de este proyecto, decidí aprovechar unos días de mis vacaciones para presenciar de cerca la realidad de ese mundo de miseria. Tuve que hacer mi plan a espaldas de mi padre y de mami, porque ninguno me lo hubiera permitido. Para lograr mi propósito me puse de acuerdo con el Dr. de la Hoz, dando a entender que yo me pasaría las vacaciones en su casa. Pero ese señor se echó hace dos días para atrás, y envió un fax a mi casa, denunciando mi verdadero proyecto. Aún no he llamado a mami, aunque me imagino lo alarmada que debe estar. De todos modos, ya escogí este barrio de La Vega, llamado el Riíto, y aquí llevo casi una semana tomando apuntes. Mi empresa literaria está en pie y no pienso abandonarla hasta que llegue a su final.

Vino donde esta señora que tiene misterios. El altar colorido y recargado. Los santos, repujados contra los cristales opacos o vaciados en toscas figuras de yeso, permanecían alerta desde sus divisiones espirituales. Figuras a veces de camuflaje. La señora que tiene misterios los iba nombrando con familiaridad: Legbá, buen abridor de puertas y proveedor de maridos; el Barón del Cementerio y Mamá Bullita, que traen y llevan los mandados de los muertos; Anaísa Pie, o santa Ana, desatadora de los amantes como tú, y este es su marido, Belié Belcán, domeñador de demonios; Metré Silí y Ogún Balenyó, abridores de caminos; Changó, bueno para deshacer entuertos; tengo también a Carmelo, el dador de la fortuna; Papá Candelo, celoso de los vivos... "En este altar lo que más sobra es poder, garçón", añadió para suspender la nómina, domadora de aquel altar que visto con irreverencia y desde lejos parecería un quiosco de buhonero. Y frente a esa maqueta del imperio ultraterrenal, obnubilado sabrá Dios si por el fervor o la curiosidad, el Machote esperaba ansioso una respuesta.

–¡Juum!... –aspiró la señora que tiene misterios, asida fuertemente a la espada cuarteada de un ángel de yeso. Cuerpo zangoloteado y una voz ronca, cantarina, que parecía emitida en otra parte, descifrando las manchas de café escritas en la taza–. Bueno, garçón, hay una mujer que te está haciendo daño... Es esta sombra que está aquí, se ve clara... Ella no te deja tranquilo y no te pierde pie ni pisada; su aspiración es verte jodido, garçón, hacerte morder el polvo de la tierra. Te tiene dos velas prendidas: una la enciende de noche y otra la enciende de día... Esta es la mujer que te está dando a beber de la copa amarga.

La señora que tiene misterios acercó la taza y señaló una manchita seca de café. "Es ella, igualita,

¿la ves?". El Machote se quedó mirando la manchita, lejana, profundamente, y dijo que sí. Que era ella, mejor que en una fotografía. Que era ella: Caridad, su señora adorada, la que sacó de ese campo donde todo era guazábara y un esperar a malograrse de padrejón, el ángel de su querencia. Que era ella, vista por estos ojos, es más, véala usted misma, mamá, que yo nunca le miento. Ay por qué mascarme la soga así tan de golpe, ángel y señora de mi alma, la que sueño caminando; Caridad, rastrera, yo soy el hombre que tú amas, el que te hizo gente, coño, hija de la gran puta, Caridad.

—Sí, y se llama Caridad —lapidó la señora que tiene misterios—... ¡Juum!... No te apures, garçón. Yo voy a ayudarte... Yo soy *el Viejo,* el que endereza y tuerce los caminos, y tú eres mi hijo... Tienes que volver a darte un baño en nombre de las Tres Divinas Personas; hay que prepararte un resguardo para la suerte... Sólo déjame trescientos pesos; tráeme una prenda de esa mujer que te está contrariando y una botella de ron *Bermúdez Dorado,* que es el que bebe mi caballo... No olvides el refresco rojo... ¡Juum!... Yo voy a abrirte los caminos, porque yo soy *el Viejo,* el que amansa y monta los caballos de las Veintiuna Divisiones, y tú eres mi hijo.

Un trago de ron. Una mano con el sudor recogido de la cara. Silencio. La señora que tiene misterios despojó de males al hombre, golpeándolo con un paño rojo como en una barbería. Luego lo bañó de perfumes y le llenó los bolsillos de azúcar y maní. El Machote entregó los trescientos pesos que había dicho *el Viejo* y se retiró atribulado, cabizbajo, incluso sin reparar en el rostro frío de los santos.

Las aguas del canal esparciéndose cuajadamente.

Remolcadas por la brisa tibia, simulaban una culebra dormida. El espacio de la noche se llenaba de silencio y pececitos aromados por la podredumbre.

—¿Oíste eso? —susurró la mujer.

Del callejón venía un ruido de pasos que chapoteaban en los charcos.

—¡Coño! —advirtió pensativo—. Cuidado si es tu marido.

Caridad lo miró sobrecogida, temblando de miedo o a lo mejor fascinada. *"No puede ser... esos no son los pasos suyos",* le susurró. *"Aunque dicen que de noche hay gente que camina con los pasos de otros."*

Los pasos se detuvieron cerca de la cocina. Se oía como un tentar sobre las tablas. El hombre apagó la colilla, recogió el cuchillo y avanzó sigiloso hacia la puerta de la cocina. En medio de la obscuridad, escuchaba los movimientos del enemigo bajo el primer plano de los latidos de su corazón. Respiró hondamente, levantó despacio la aldaba y apretó el cuchillo. *"Yo te voy a arreglar ahora mismo, buen cabrón",* pensó, cargado de coraje. Empujó de una patada la puerta y se lanzó contra el enemigo.

Pero no era esa una madrugada para matar. La mujer lo vio regresar recogida en una expectación infantil, sentarse de nuevo en la cama y encender la colilla.

—¿Cortaste al salteador?

El hombre negó con la cabeza. Lo había dejado ir. No era su marido ni un ladrón.

—¿Y quién era?

Llevó el cigarrillo a los labios y su rostro fue alumbrado por el escaso rojo de la brasa. Tomó una bocanada para sosegar el ímpetu y contestó:

—El maldito Platanón.

—Si hubiera sido mi marido...

—¡Gran cosa!... Yo digo como dice la bachata, que la muerte sólo vale si es por defender a un niño o a la mujer que se ama.

—Qué lindo... —expresó con suspiro de protagonista teatral de los años cuarenta.

No hay nada más tierno que una mujer venida: la borrasca del clímax la limpia y deja infinitamente dócil, como un ángel.

—Yo te amo con todas las fuerzas de mi corazón —completó él, y le escuchó medio sonreído un segundo suspirar.

Caridad sacó algo de la almohada. Lo escondió entre las piernas, en la espalda, en los cabellos, hasta que finalmente, ejecutando un precario truco de magia, lo tiró sobre la cama.

—Aquí está mi cédula —dijo, después de un "taraaán"—. ¿Tú estás seguro que con eso me salen los papeles?

—Claro. Yo llamé a mi tía a Nueva York, y ella me dijo que le consiguiera tu cédula de identidad para ponerte como hija suya. Pedirá la residencia para los dos... Allá seremos completamente felices, mi amor —y la singó esta vez sólo rozándola con la respiración y la brasa del cigarrillo.

Aprendí todo lo bueno, aprendí todo lo malo, sé del beso que se compra, sé del beso que se da; del amigo que es amigo siempre y cuando le convenga y sé que si tiene plata uno vale mucho más.

Aprendí que en esta vida hay que llorar si otros lloran, y si la murga se ríe, uno debe de reír; no pensar ni equivocado, para qué si igual se vive, y además corres el riesgo de que te bauticen: gil.

La voz aguardentosa de Rolando Laserie empujaba melancólica desde el corazón metálico de la vellonera. Desprendíase irreparable y dolorosa, devorante, como procurando malograr el alma. El Machote había cambiado una papeleta de veinte pesos en monedas de veinticinco y, tras ocupar una mesa cerca de la vellonera, reiteraba con obscuro masoquismo el disco *Las cuarenta*.

—Ese pariguayo ya me tiene harto de tanto repetir el mismo disco —quejóse el Gua, recién llegado de los amores furtivos, y voceó incomodado: ¡Mira, quita ya ese maldito disco, que aquí nadie está amargado!

—Take it easy, papi chulo... no vengas a armar otro lío —advirtió la China, viniendo desde la mesa del Machote. Una vez a su lado, le susurró: *"Le coges la mujer y también le quieres coger la vellonera"*... Se alejó de nuevo arreglándose la minifalda, se desvaneció ligeramente en el humo cenizo de los cigarrillos y regresó un minuto después a su lado; ahora sonaba un bolero en la voz engomada de Daniel Santos—. El Machote pagó la cuenta y ya se va. Esta noche vino amargado por su mujer. Parece que sospecha algo.

El Gua sonrió con una risa cíclica como de disco rayado. Se dejó amortiguar en la voz que salía de la vellonera. Luego de una pausa de ron y besos estrujados, tiró la cédula de Caridad sobre la mesa. La China la recogió con curiosidad.

—Le metí el cuento de que nos vamos para Nueva York. ¡Tan pariguaya!

—¿Y por qué le dijiste esa mentira?

— Para amarrarla —respondió, haciendo un nudo imaginario con las manos.

La China bebió un trago y estalló de risa, no

con su risa normal, la de costumbre, sino con esa otra risa cruel que poseen las mujeres.

El Machote fue dejando atrás el clamor amargo de la vellonera. Pensaba en la mancha de café que se parecía a Caridad. Los mismos cabellos, la mirada, el mismo caminar. A Caridad la había mudado seis meses después de la muerte de su mamá. La trajo no tanto por asuntos de querencia, sino porque la casa de pronto se convirtió en un vacío y el desorden doméstico la estaba volviendo un laberinto inextricable. Al principio no era que no la quería, sino que sería con los meses que aprendería a tenerle más cariño. Vio reflejado un flequillo de luna en las aguas sucias del canal, y vio que era Caridad. Aún no se daba cuenta, pero la estaba amando. De pronto, su mente fue iluminada por un destello y por primera vez en su existencia, claro que sin saberlo, entró en contradicción con Kant. *"Las cosas no son como parecen... El que una cosa se parezca no quiere decir que sea, ¿no es verdad, mamá?"*, pensó maravillado, mientras comparaba el flequillo de luna con la mancha de café.

–¿La va a comprar? –le repitió la niña, y sólo entonces el Machote cayó en cuenta que ella lo venía persiguiendo desde hacía rato, vendiéndole una rosa.

Le dio dos pesos y tomó la rosa. La niña se limpió con una sonrisa el sucio de la cara y corrió sin decir nada. El Machote la vio desaparecer entre los patios y, emocionado, reconoció que a lo mejor había descuidado a su mujer en las últimas semanas. Recordó la bachata que dice que el amor se alimenta de vino y rosas. Así que pasó por la pulpería y compró una botella de moscatel *Caballo Blanco*. Serían las tres de la mañana cuando llegó a la casa. Cogió dos copas del seibó, les picó hielo y las llenó de vino. Entró silencioso al aposento con una copa en cada mano y la rosa mordida entre los dientes. La rosa era para dejarla al levantarse de la cama después de hacerle el amor, por lo cual la ocultó. Levantó la sábana lentamente. Ella dormía. Cuando le acarició el hombro con su mano fría, Caridad despertó espantada y encendió el bombillo. El Machote la vio embadurnada con una crema para las espinillas, los cabellos recogidos en pequeños moñitos y un rolo que moldeaba el pelo de la frente.

—Soy yo, mi amor —le musitó de todos modos. Y le pasó una copa—. Tómate un trago de vino.

—Yo no bebo, Virginio —le dijo a secas Caridad, molesta por la mano fría que le espantara el sueño.

—A nadie se le cae un pedazo por beberse un trago de vino... Compláceme, que eso no es nada.

La mujer volvió a decirle que no. Pero ante la insistencia del hombre, agarró la copa, fingió tomar un sorbo y la apartó con la cara brava. El Machote sonrió complacido por el buen ritmo de su velada romántica. Echándose a la boca un hielo, le susurró que esta es una noche especial. La mujer se estremeció con el tronar del hielo mascado contra su oído. Trató de arroparse, mas el hombre, tomando aquello por un movimiento de coquetería, le quitó la sábana. Fue entonces cuando le acarició la barriga, y la mujer apenas pudo aguantar el contoneo, sofocándose por las heladas cosquillas. No tuvo otro remedio que abrir las piernas y dárselo, porque sabía que esa era la más rápida manera de quitárselo de encima. A los dos minutos él profirió un grito amordazado y ella, esta vez sin hacerse la que se vino, se lo apeó de encima y finalmente se arropó. El Machote se subió entonces el zíper, se levantó, recogió la flor y la dejó al lado de ella. Caridad lo oyó salir para el baño mascando otro hielo, miró la flor con el rabo del ojo e hizo un pssst con desprecio.

La aurora vertía sus antiguas rosas sobre el cuerpo amoratado del sacristán. Rondaba los treinticinco años y nunca había tenido amores. Su universo erótico se circunscribía a una vieja colección de revistas pornográficas y una baraja erótica ocultadas celosamente bajo el colchón. Filatelista, mecanógrafo graduado, guardameta del Don Bosco, fanático de la radiocomedia de *Tres Patines* y coleccionista infatigable de las historietas de *Kalimán*. En su infancia había sido monaguillo y a los diecinueve años quiso ingresar al seminario, pero su escasa formación académica se lo impidió. De alguna manera, el modesto empleo de sacristán servía para consolar su melancolía de sacerdote frustrado. En sus sueños a veces se ordenaba obispo, encontraba el codiciado número 6 de *Kalimán* y, en contadas ocasiones, lograba besar a Liberata.

El sacristán despertó esa mañana con una energía inusitada. Las cortadas se habían transformado en cicatrices rosáceas y los magullones eran ahora simples manchas obscuras. De las horas inagotables de fiebre e insomnio solamente le quedaban el soso amargor de las aspirinas y el recuerdo dichoso de Liberata sentada una hora de cada tarde junto a su cama tocándolo para medir la calentura, dándole a comer un plato de sopa, poniéndose de espaldas para que le pusieran un enema. Encajó su rostro en un pedazo de espejo y se afeitó con la cautela de quien pela una manzana.

–Nuevecito –evaluó risueño su hermano

menor–. A la verdad que esos cuidados de Liberata cumplieron buen efecto...

El sacristán sonrió ruborizado.

–Así cualquiera –aclaró, borrándose el rostro con la toalla. Su voz era escasa y mal modulada, como sacada de un radio de pilas gastadas.

–Ahora pasaremos a la segunda parte del plan –dictaminó ante la sorpresa del sacristán–. Tienes que invitarla al cine a ver una película el sábado. Cuando apaguen la luz le agarras esta mano, así, y suavemente le cuchicheas al oído un me estoy derritiendo por ti. Al voltearse ella con los ojos como de becerra mamando, la besas en la boca. Al salir del cine le dices vamos allí a comernos un helado, y la metes a un motel...

–Liberata no es ese tipo de mujer –apresuró, sobrecogido con el pragmatismo de su hermano menor. Se balanceó alelado en una mecedora rememorando el vapor de los alcanfores emanado de los poros de Liberata. Determinó confiado: – Mejor le mandaré un papelito.

El hermano menor miró desalentado hacia todos los puntos del cuarto. Respiró débilmente hasta lo último y después, como si se estuviera aferrando al más lejano residuo de su paciencia, vindicó:

–Tienes que dejar ya esa mariconería de mandarle papelitos... Llévala al cine. ¿En qué otro sitio te le puedes declarar? En las dos semanas que estuvo viniendo a cuidarte tú pudiste aprovechar hasta para metérselo y no hiciste nada. La única manera de que puedan entrar en salsa es yendo al cine... Mientras sigas empeñado en esos papelitos, tendrás que conformarte con hacerte la paja.

El sacristán lo miró secamente. Su rostro reflejaba con fidelidad la lucha moral desatada en su interior. Por último, inhibido por la confusión, tuvo que ceder.

—Está bien: la llevaré al cine —decidió no muy convencido—. Pero las cosas se harán a mi manera.

El hermano menor cruzó de un salto el canal. El hedor de la basura y el agua podrida le traían el recuerdo de su desventura. Pues unos meses atrás pagó un dineral para hacer un viaje en yola hacia Puerto Rico. Había abordado un cajón desportillado que, cargado con cincuenta personas, parecía navegar más hacia el fondo que hacia adelante. Desembarcó finalmente y se internó sigiloso entre los matorrales. Horas después, ya con el sol quemándole la cara, descubrió que el viaje había terminado en otro punto de la misma playa. ¿Quién le hubiera dicho que ese larguísimo mar también serviría para arrastrarlo de nuevo hacia su azarosa patria? Desde entonces se le hacía más difícil respirar el aire húmedo del Riito. Venía de hablar con Liberata. Le dio trabajo convencerla de que saliera el sábado con el sacristán. *"Pero es que yo no me gusta salir, y menos de noche"*, objetaba la fea, la del rostro *ridículo en sí. "Hazle ese favor, Liberata; mira que mi hermano está muy complacido por tus cuidados y quiere darte ese agradito. Es más: hazlo por piedad."* Y la cuarentona aceptó ir a la cita; mas con la condición de que primero irían a la misa de las cinco a la catedral. El hermano menor regresaba pesaroso, trabajado por la desazón que siempre le producía el rostro de Liberata. En uno de esos vaivenes del pensamiento la imaginó siendo besada por su hermano. Escupió con náusea.

El padre Ruperto salió del aposento anunciado por el descompás de un portazo. Caminaba silencioso por la sala mientras paladeaba con magro deleite la cucharada del remedio para la maldad de estómago.

—Así que irás mañana al cine con Felisberto.

Liberata se apoyó en el fregadero, lo miró inexpresiva un largo rato y, finalmente, preguntó:

—¿Y cómo lo supo?

—Yo lo sé todo —aseveró con acento enciclopédico.

—Pero le mandé a decir que primero fuéramos a la misa de las cinco a la catedral. No iremos de noche a la película.

—En el cine siempre es de noche... Me preocupas profundamente, criatura... Eres tan inocente que temo que no puedas percibir el peligro de las tentaciones. ¿A ti no te gusta la vagabundería, verdad? Recuerda que mientras Nuestro Señor no resucite de nuevo, nadie protegerá de morir lapidada a la ramera.

Liberata se persignó temblorosa y hundió la cabeza en el hombro. Gruesas, cristalinas gotas se vieron rodar por sus mejillas... Pero no: eran chisguetes de agua salpicadas del fregadero. El padre Ruperto la dejó sola.

El patio de la cárcel semejaba una foto antigua de pájaros entristecidos por la llovizna. El agua caía vuelta chubascos sobre los presos y visitantes que imaginaban un paraguas en cualquier hoja de periódico. Benedicto contemplaba entelerido, y por un momento se sintió maravillado de pertenecer a aquella visión. En el último campamento de la Orden le habían encomendado una misión: Los archivos de la cárcel conservaban el expediente de un preso ya fallecido, en el cual aparecían datos fundamentales para la Orden: su misión era realizar los contactos y procedimientos necesarios para conseguir ese expediente. *Morgana* lo acompañaba porque decía tener algunos amigos dentro de la cárcel. El muchacho se movía encantado de temor entre el amasijo humano. Aún no reparaba en la naturalidad y el fervor con que había asumido la misión. La mujer se acercó trayendo de la mano a un preso.

–Dice la comadre que ofreces dinero para que te consigan un expediente del archivo –dijo el Gua, en tono amenazante.

Benedicto lo miró algo perplejo. Nunca se le habló de desembolsar dinero. Pero lo que realmente le impresionaba era la presencia protagónica del Gua. La cercanía casual de un delincuente suele producir fascinación en los espíritus ingenuos. Sintióse lleno de una admiración rara y, hasta cierto punto, orgulloso.

–¿Por qué estás preso ahora? –preguntó la mujer.

–Una calumnia de la policía. Me agarraron antenoche, cuando salía del cabaret de Luis Canario, porque alguien se inventó que yo estoy conspirando para matar al gobernador... Calumniando a un angelito como yo –lamentó, con una mansedumbre que no le encajaba. Leyó el papel que Benedicto le pasara, donde estaban los datos del expediente–. Esto te saldrá por setecientos pesos.

La mujer oyó atenta la cifra. Estaban previamente de acuerdo. En realidad serían trescientos para el Gua y cuatrocientos para ella. De todos modos, intercedió alarmada:

–¿Pero tú estás loco? Eso es demasiado dinero... Ve a ver si puedes bajarle algo a eso.

–No puedo, comadre –rechazó, siguiéndole el juego–. Necesito esos trescientos... esos setecientos pesos para mojarle la mano al sargento encargado del archivo. El resto será para comprar mi salida.

–Está bien. Dale los setecientos –ordenó a Benedicto.

El muchacho titubeaba. Ante un gesto agresivo de la mujer, sacó el dinero del bolsillo, perplejo, y se lo entregó sin contar. Al día siguiente volverían por el expediente. La mujer caminó hasta la celda con el Gua. Luego regresó al patio, tambaleando, dando saltitos, tratando de escapar inútilmente de la lluvia.

Esperaron un taxi. *Morgana* se rascaba el oído con una pluma. La calle cedía bajo la alfombra infinita del agua en aquel atardecer veraniego. Porque aquí las estaciones son nombres vacíos e inútiles: las flores, la sequía, las hojas secas o la lluvia aparecen cuando les da su santa gana sin importar lo que indique el calendario. Benedicto le preguntó por tercera vez si creía en el Santo Grial. Ella suspiró derrotada y, rebuscando en lo menos profundo de su corazón para no desnudarse, respondió:

–Cuando nos enamoramos, nosotras las mujeres creemos en todo lo que el hombre cree. Fíjate: si al macho le gusta la mecánica, a una le gusta la mecánica, si le gusta la religión evangélica, una se mete a evangélica... Una hace todo lo que su hombre hace, como el mono. Por eso, si Geofredo cree en el Santo Grial, yo igualmente creo. Y punto.

La oficina, o esta rumba de archivos destartalados, polvorientos, y un olor marchito domeñando el aire. El sargento, aplomado en la silla del escritorio, ojeaba el expediente. El Gua esperaba de pie, esfumándose en un rincón de aquella oficina que recordaba lejanamente un almacén de funeraria.

–A la verdad que este tíguere estaba más loco que un reloj de a peso –comentó el sargento, refiriéndose al expediente–. Le cantaron diez años de cárcel por sustraer antiguallas al Museo de las Casas Reales en 1973. Nunca apareció el cuerpo del delito, porque el maldito loco decía que era patrimonio de una tal orden de la Última Virtud. Se suicidó en 1975, envenenado con un trago de negro eterno. Dejó esta larga nota donde dice, entre un paquete de pendejadas, que su misión estaba concluida y que la posteridad comprendería su sacrificio... ¡Qué tíguere tan pariguayo!

Hizo un esfuerzo aparatoso por levantarse de la silla. En realidad, el afán pareció centrarse en mover su vientre abultado. Recibió el dinero con asombro fingido, lo contó celosamente y lo aseguró en la gaveta del escritorio. El Gua se escondió la carpeta debajo del suéter y salió al patio cuando empezaba a escampar.

6 de marzo: San Olegario, santa Coleta, san Víctor.

La cárcel estaba abarrotada. Las cárceles suelen llenarse al revés: las víctimas están adentro y los culpables, afuera. La sociedad subordina la libertad natural del hombre a cambio de un bienestar mayor: educación, salud, comida... Sin embargo, la mayoría de los presos son personas que han delinquido por la carencia de estos beneficios; es decir, que han sido estafados por la sociedad. Cada preso simboliza un fracaso social; por eso, tras cada delito es la sociedad quien debería ir a la cárcel. Hace dos días que entregué a Geofredo el expediente que me consiguieron en los archivos de la cárcel. Tuve que pagar setecientos pesos, los cuales han hecho bajar considerablemente mi reserva económica. Lo que no me gusta de este juego del Santo Grial es que yo vengo siendo algo así como el mecenas de la Orden, según palabras del propio Geofredo. Todos los días tengo que poner de mi dinero para la velada; es cierto que ninguno de ellos está trabajando, pero deberían buscar una forma para que yo no cargue con toda la cuenta. Entregué el expediente sin leerlo, tal como se me había ordenado. No niego que casi cedí a la tentación de revisarlo, mas una rara honestidad se sobrepuso a mi curiosidad. Sé que la Orden y mi vinculación con ella son una ilusión... La cuestión es que todo es ilusión, por lo cual esta realidad no es menos válida que cualquier otra. Recuerdo una canción: «He preferido hablar de cosas imposibles, porque de lo posible se sabe demasiado.» Además, podría haber algo de lógica en la rara ubicación de la santa Reliquia, si recordamos que el santo sepulcro y el santo sudario fueron encontrados en circunstancias atípicas. De hecho, el Santo Grial existe y debe hallarse en algún lugar inimaginable. ¿Sería dicho lugar el Riito? ¡Son tan misteriosos los caminos del Señor!... Quizás incluya algo de esto en la novela. Casi me siento bien empapado del ambiente de este barrio y pronto voy a comenzar los primeros borrones. La situaré en este mismo barrio; últimamente he pensado que el protagonista podría ser yo mismo, Benedicto Pimentel. A lo mejor saque mis personajes de la propia realidad. Podría ser una novela de aventuras narrada en primera persona.

La tarde del sábado, el sacristán y Liberata cruzaban presurosos la sobria explanada gris del parque. Llegaron a la catedral justo cuando el cristalino solo de las campanillas anunciaba la entrada del obispo. El sacristán sentíase regocijado porque al terminar la misa sería la cita en el cine. Para esta ocasión singular, vestía una guayabera amarilla combinada con unos jeans recién estrenados y llevaba el cabello provisionalmente domesticado con gomina. El inventario de sus bolsillos se reducía a un pañuelo, dos mentas de espíritu, un peine rojo, la cédula y una papeleta de cincuenta pesos planchada industriosamente. Había rechazado con pudor inquebrantable el condón que su hermano menor le ofreciera antes de abandonar la casa.

Liberata escuchaba el sermón con atención cadavérica. La tenía sin fascinación la cita posterior con el sacristán, no obstante ser la primera vez que iría a un cine. Quizás por eso vestía lo de siempre: la mantilla caída sobre los hombros, el vestido marrón apuntando al plomo de los tobillos y sus zapatos de tacón fuera de moda. O quizás andaba así por desterrar la vanidad. O quizás porque las mujeres honestamente feas no suelen gastar el tiempo en afeites que siempre les serán inútiles.

La hora de la misa nunca se había estirado tanto para el sacristán. Le pareció que dentro de la catedral el tiempo era medido por un reloj de goma. En cámara lenta vio pasar el abrazo o tregua de la paz, la calmosa consagración del pan y el vino, la fila que avanzaba inextinguible a recibir la hostia interminable. "Pero hambre que espera hartura no es hambre", volvió a pensar justo cuando la campana de las seis lo sorprendió cruzando el parque acompañado de Liberata bajo el muro gris del atardecer.

Se detuvieron en la taquilla del cine La Progresista. La elección había sido hecha fríamente desde la noche anterior por el sacristán, tras considerar que al Rívoli iban demasiados tígueres y que el Vega Real cobraba el doble. La Progresista reunía la cómoda estrategia del punto medio. Además, anunciaba en cartelera una comedia de Bud Spencer y Terence Hill. Tomaron asiento y el sacristán fue asaltado por una mudez repentina. Aspiró deleitado el aroma del alcanfor. Cuando la sala quedó obscurecida, la presión aumentó hasta el punto de hacerle sentir que flotaba. *"Ahora puedo agarrarle la mano"*, pensó, y comenzó a mover el antebrazo con lentitud; pero al tocar el brazo de la otra butaca, cambió la dirección y sepultó su mano en un bolsillo.

–¿Quieres comerte una menta de espíritu? – preguntó, con la voz intercalada por débiles carraspeos.

Liberata le dijo que no, con la cabeza. Él se reclinó en su butaca hasta sentirse desvanecer. Leía los estáticos clichés comerciales que se proyectaban en la pantalla combinados con merengues de Juan Luis Guerra. Cuando terminó de devorar la segunda menta, decidió pedirle amores. Se puso de pie lentamente, carraspeó una vez más y le dijo, aunque sin mirarla a los ojos:

–Vengo de un pronto a la cafetería.

Regresó atrincherado en un paquete de rositas de maíz, refresco, galleticas, chicles, caramelos, una manzana y cuanto burundanga pudo comprar con los treinta pesos que le habían quedado. Primero le ofreció la manzana, la cual ella miró con extrañeza sin atreverse a tocar. Le siguió convidando caballerosamente a cada golosina y ella, sólo moviendo la cabeza y sin hastiarse, las fue rechazando una tras otra. *"Cuando comiencen los avances de las otras películas, iré directo al grano"*, determinó confiado. Pero se terminaron todos los trailers y él no le dijo ni púdrete. La película, lluviosa y con el sonido averiado, pasaba entre silbidos, carcajadas a coro y cortes inesperados. Liberata permanecía inmutable y lejana, como una vaca mirando a una pared. El sacristán se la pasó determinando que después de tal o cual cosa le hablaría. Los dos asientos estaban separados por una frialdad tan irreparable que parecían literalmente vacíos. La película finalizó entre risotadas y la sala quedó delatada por la rápida embestida de la luz.

El sacristán y Liberata cruzaban silenciosos por el parque. Ver a una mujer fea caminando solitaria por un parque produce un sentimiento de desolación. Verla acompañada de una mujer hermosa, despierta desazón. Verla acompañada de otra mujer fea crea la sospecha de un síndrome fatal. Pero verla acompañada de un enamorado –por más insignificante que fuere– produce una consternación terrible. Kierkegaard tiene que estar necesariamente en lo cierto al señalar que: *El amante, según la opinión del poeta, encontrará su objeto o se enamorará de una manera misteriosa e inexplicable, y así quedará ciego de amor, incapaz de ver cualquier defecto o cualquier imperfección en la persona amada.* ¿De qué otra forma, que no sea aceptando la certidumbre de Kierkegaard, puede comprenderse que un hombre se exhiba públicamente junto a una mujer tan fea como Liberata? Un apagón borró la ciudad y el sacristán consideró que era el momento ideal para pedirle amores. Lamentó para sus adentros no poder escribirle un papelito. Se limitó a aspirar el aroma de alcanfor que se esparcía por la calle solitaria. Liberata venía agotada, aunque sedada por el alivio del deber cumplido.

—¿Te gustó la película? –preguntó de soslayo, cuando había calculado decirle que la amaba con frenesí.

—Más o menos. Pero no la entendí.

—¿Por qué no la entendiste? –inquirió, carraspeando, como si se le hubiera metido una pajita en la garganta.

—Porque no sé el inglés.

El sacristán la miró sorprendido.

—Las letras blancas de abajo traducían lo que hablaban. ¿No las leíste?

—No —confirmó desprevenida—. Yo pensé que esas letras eran anuncios.

El sacristán sonrió con indulgencia de tío de ella. Cuando ya casi llegaban al cuarto trasero que habitaba Liberata, pensó retenerla comentando algunas ocurrencias de *Tres Patines* y luego requerirla en amores. Pero le faltaron las palabras. Caminaba obnubilado por el penetrante aroma del alcanfor. Sentía que algo grande se le estaba yendo de las manos. Ella iba a abrir la boca para despedirse y él, en un obscuro acceso de impotencia y rabia, le rogó entre titubeos que se casaran para que fueran felices por toda la eternidad. Liberata le dijo que no, con la cabeza; mas al ver que él comenzaba a llorar con terrible amargura, se sintió perturbada. Atrapada en su inexperiencia amorosa y el hondo sentido de la piedad, le prometió, aunque sólo para escapar del extraño apuro: "Lo pensaré un tiempo."

Los albañiles lo escrutaban con una atención mal soslayada e inusual. El Machote emprendió su ya predecible arenga irracional, incómodo por la expectación morbosa que lo asediaba. Para sugerir una amenaza indirecta, se acercó a uno de los haitianos que picaban las zanjas y tras acusarlo de haraganería y xenofobia, lo despidió. Pero la señal no fue interpretada o fue tomada a menos, porque en el transcurso de la mañana las miradas y las risitas sin motivo se perpetuaron hasta rondar el escarnio. Poco antes del mediodía, el tipo llamado el Protagonista, lo llamó aparte.

–Vea, a mí no me gusta el chisme ni tampoco me entretiene. Yo siempre lo he querido mucho, ya que su mamá, que en paz descanse, era una mujer enferma. Y porque de un tiempo a esta parte lo veo tan desorientado, le voy a decir responsablemente lo que todo el barrio anda diciendo, pues cuando esas cosas suceden, el agraviado siempre es el último en enterarse –anticipó el Protagonista, y le clavó los ojos agrietados de sudor–. La mujer suya le está pegando los cuernos.

El Machote lo enfocó fríamente, silencioso, como si lo mirara al través de un microscopio.

–Yo pensaba que el Protagonista era un tipo más serio –dijo impersonalmente y con desprecio, recuperando la voz–. Vea, no le entro a trompadas porque mi mamá me enseñó a respetar... Váyeseme ahora mismo, que no quiero gente calumniosa en mi trabajo.

El Protagonista acató el despido sin protestar. Le dijo al retirarse:

–Haga conmigo lo que quiera, pero esa es responsablemente la verdad.

El padre Ruperto disfrutaba los guineos del postre en el patio de la iglesia. La sombra fresca de los framboyanes dibujaba imágenes soñolientas. A escasos metros de él, postrado frente a las rosas azules, un mocho oraba con devoción, presuroso, casi con rabia, en espera de que la Virgen repitiera en él el sonado milagro de crecerle la otra pierna. El sacristán entró ansioso por el portón. Saludó y tomó asiento junto al padre. Luego de ponerlo al día sobre las recaudaciones del Milagro de la Inmaculada, dio numerosos rodeos hasta tocar el tema que lo mortificaba.

–Padre, yo en días pasados le pedí amores a Liberata –le dijo, con el tono apagado de las confesiones.

–Felicidades –adelantó escéptico el sacerdote.

–Bueno, ella nomás me dijo que iba a pensarlo. Han pasado muchos días y no me da la respuesta. Yo iba mandarle a preguntar en un papelito, pero mi hermano dijo que no... Estoy que ni como, padre –subrayó lastimoso–. Yo quería ver si a lo mejor usted... Tal vez si usted le diera un toquecito...

El padre irguió el cuello, echó la cabeza hacia atrás y lo miró curiosamente, cerrando un ojo, apartado, como a través de un catalejo.

–¿Qué insinúas, criatura? ¿Piensas que puedo utilizar la autoridad de mis hábitos para servirte de maipiolo? ¡Inaudito!

–Perdóneme, padre... se lo imploro... Estoy muy desesperado.

El padre abrió el otro ojo y lo miró más de cerca. Observó de paso al mocho, que comenzaba a poner un tono violento en la oración. *"Con fe, hijo mío, sólo ore con fe",* le prescribió sosegado desde la sombra de los framboyanes, *"y no se desespere, que el suyo no es el único milagro que tiene pendiente la Virgen".*

–Comprendo, criatura. Tienes que olvidarte de Liberata, porque está destinada a otro propósito: va a vestir los santos hábitos –confióle susurrante. Luego improvisó un breve discurso perdiendo la vista en un punto lejano, ido y sobrio, como si lo estuviese practicando ante un espejo–. La mujer es mala por naturaleza, mientras que el hombre sólo es malo por accidente. Originalmente el hombre fue creado a imagen y semejanza de Dios, así que es bueno por extensión, y sólo por la tentación de la mujer pudo caer en el pecado. En cambio, la mujer fue hecha a imagen y semejanza del hombre, que hemos visto que es imperfecto, lo cual la hace mala por naturaleza, pronta al pecado. Protégete, pues, de la mujer.

El sacristán interceptó a Liberata, quien venía de mojar las rosas azules de la Virgen. En su mente todavía vagaban incrédulas las palabras del padre Ruperto. Vencido por la ansiedad, se atrevió a preguntarle.

—¿Ya decidiste el asunto?

Liberata suspiró acorralada. Se dejó caer lentamente la mantilla sobre los hombros y, de pronto, dio la impresión de que podía verse algo hermosa... pero como donde Dios no puso no puede haber, tras esta mutación quedó igual de fea. Lo miró alelada, con el alma llena de un profundo desaliento.

—Te voy a decir la verdad —dijo, temerosa de que se pusiera a llorar—. Yo a ti te quiero muchísimo, tanto que no te imaginas... pero no como novio, sino como amigo.

Ya en silencio, sintióse perpleja. El sacristán se quedó inmóvil, sintiendo que sobre su alma incendiada de pasiones chorreaba un soplo helado. Se llevó las manos a la nuca como si acabara de fallar un penal y quebrando el silencio escabroso, dijo, recuperando el pedazo menos resquebrajado de su voz:

—Está bien; cuando una cosa no se puede, no se puede... El padre Ruperto dijo que tú no estabas destinada para mí... Es más, yo me atrevo a jurar que fue él quien te lavó el cerebro en mi contra.

—Eso es embuste —apresuró con inusual energía.

—Sí, fue él —insistió, apartando el rostro y evitando pestañear para no arruinarse de llanto—. Igual que con Policarpio *el Tuerto,* que por estar enamorado de ti, el padre le dio un sermón tan fuerte que el infeliz se desesperó y terminó por guindarse de una soga... Yo lo recuerdo todo.

Policarpio *el Tuerto* entró al patio nublado. A pesar de su angustia, tuvo que esperar que el padre Ruperto engullera el primer guineo para confesarle su penar. Junto al bello matorral de las rosas azules, un ciego imploraba de hinojos el milagro de la luz. El sacristán estaba escudado tras el portón y desde allí escuchaba sin dificultad.

—Dos padrenuestros —recetó en una el padre.

—Y fui donde una señora que tiene misterios, padre —reconoció contrito, haciendo juego con la voz menesterosa del ciego—. Ella me hizo un trabajo para que Liberata me viera durante los sueños. ¿Eso es malo?

—Es un pecado capital, una ofensa contra el ministerio del Señor.

—Y eso no es lo peor, padre —dijo temeroso—. Yo cometí el pecado de dudar de usted... de pensar que entre usted y Liberata... bueno, ya sabe. Pero en la taza no salió nada de eso. Perdóneme por dudar.

El padre tragó aparatosamente el bocado. Le contempló con sus dos ojos el único ojo bueno que tenía. En ese momento, un haz de luz perforó las nubes grises y el patio se inundó de resplandores; se oyó al ciego clamar con un gozo infinito: *¡Milagro, milagro... puedo ver!,* y, tirando el bastón, corrió algunos pasos, pero pronto se estrelló contra un framboyán. *"Regresa, hijo, implora otra vez,* le indicó el padre mientras lo ayudaba a arrodillarse de nuevo junto a las rosas, *parece que la Virgen se contrarió un poco."* Luego volvió a sentarse junto al otro. El sacristán escuchó la furia del padre. Hijo del demonio, le oyó decir, cómo pudiste dudar de mí; pensar que yo... ¡Inaudito! Y tenía razón el padre, porque Policarpio *el Tuerto* había saltado la raya, no sólo la de los hombres sino también la de Dios. El patio retumbó con las muchas cosas que le dijo.

–He pecado mucho –reconoció llorando, desesperado–. No puedo vivir con esto. Alívieme, padre, sálveme. Necesito su perdón.

El padre, sumergido en esa calma que a veces da la furia, peló el último guineo. Lo fue comiendo pensativo, como si esperara una señal del cielo. Finalmente echó la cáscara a cualquier lado y citó:

–La paga del pecado es muerte.

–Ese mismo domingo se ahorcó –completó el sacristán–. Yo no dije nada porque ya no había nada que hacer; además, de todos modos, era un pretendiente menos...

–Cállate con eso –imploró temblorosa.

–¡Qué coño, ojalá me condene! –retó airado, con ínfulas de protagonista. La contempló con los ojos secos, más controlado–. Pero sigue tu camino, que por tu amor yo no voy a ponerme a llorar.

Y se retiró con soberbia. Mentira: al llegar a su casa se echó a llorar. Lloró al oír *La tarde, tú y yo* de Radio Santa María. Lloró al desgarrar el muñeco de peluche que pensara regalarle para san Valentín. Lloró al destrozar el elepé de Lucho Gatica. Lloró amargamente viendo su presencia multiplicada en el abismo interminable de aquellas noches de insomnio. Y durante mucho tiempo la seguiría llorando, puntual, inagotable, con el inexplicable placer de los rituales.

La ruina gris del atardecer se desplazaba hacia el interior de la pieza. El senescal Santiago *de la Santísima Trinidad,* el mariscal Benedicto *de la Augustísima Castidad* y *Morgana* observaban al gran maestre Geofredo *de la Dulcísima Cruz,* quien ataviado con una bata de terciopelo rojo y un collar de oro realizaba movimientos solemnes con un incensario. Los suaves vapores del incienso creaban una atmósfera de onirismo y dulce sopor.

–La hora del final está cerca –anunció el gran maestre, elevando los brazos con ceremonia–. La orden de la Última Virtud ha llegado a la penúltima hoja de su *Libro de Vida.* Le queda la página final y cuando la pase a un lado, la historia morirá y comenzará el tiempo del hombre nuevo. ¡Hosanna, hosanna!

Se agarraron las manos para levantarlas silenciosos en señal de regocijo. Geofredo aprobó con un gesto sobrio y, sin apartar la mirada de aquella cadeneta de brazos, glosó: "El pergamino de Guillermo *de la Cruz Inmaculada,* Señor Caballero de la Orden, que fuera recuperado recientemente por nuestro mariscal Benedicto *de la Augustísima Castidad,* nos informa que el tiempo final se acerca. Las señales profetizadas en el pergamino son tres y se irán descubriendo en el transcurso de los días venideros. Al cumplir con la acción que nos dicte cada señal, la Misión quedará concluida y será revelado el Santo Grial.

Los santos de yeso descargaban su mirada fría sobre los detalles coloridos del altar. Recogida en un paño rojo, la mujer que tiene misterios confesó al sacristán la impotencia de cualquier trabajo mágico para amarrar el corazón de Liberata.

–Le preparé los polvos de rosa de la Metresa;

le puse una luz en el rincón de Metre Silí; te di el pañuelo amarillo con los perfumes de Anaísa, que es un cuchillo contra el mal de amor... Pero esa mujer está atrapada por una fuerza mayor que no la deja... Si yo fuera tú, averiguaría qué la retiene.

El sacristán salía ofuscado, malogrado de silencio. Sin mudar la inexpresión de su rostro, iba pensando que, si no tenían la fuerza de doblegar el amor de Liberata, para qué coño servían todos esos santos. Mientras corría la aldaba de la puerta, oyó un grito desgarrante y al volver la espalda vio, en medio de una nube de polvo, un ángel de yeso hecho pedazos en el suelo.

–Ya estoy harta, no aguanto más: Me mudaré contigo. Le he dado tiempo de sobra para que cambie; pero se pasa las noches de maipiolería en maipiolería y después aparece aquí borracho, manoseándome para que se lo dé, como si una fuera uno de esos cueros de Luis Canario. A veces me siento un trapo usado. Ya estoy hasta la coronilla: Me mudaré contigo.

El Gua respiró pensativo. Nunca pensó que Caridad lo tomará tan a pecho. La abrazó con un gesto comprensivo.

–Justamente hoy te iba a pedir que nos mudáramos –le mintió–. Pero sería bueno que primero te fueras unos días al campo, donde tu familia, y que después nos juntáramos. Así se vería mejor. Además, no falta mucho para nuestro viaje a Nueva York.

–Pues me iré al campo por la mañanita. Empacaré mi ropa. Cuando él vuelva esta noche, nos sentaremos a hablar como la gente, sin pelear. Le diré que me voy para siempre... Te quiero mucho, Gua.

–Yo también –le mintió otra vez.

Siempre le mentía. Le mentía al jurar que no

singaba con los cueros, al confiarle que el Machote la vivía acusando de frígida en los cabaretes, al hacerla feliz con el sueño de llevarla a Nueva York. Mentía bien, devotamente, a veces deleitado. Y le mentía no tanto por inseguridad ni por crearse una imagen falsa de sí mismo, sino porque quizás la mentira era su único recurso para hacer feliz a una mujer.

En el Riito repetían que Luis Canario era un hombre extraño. Lo decían por la *estrategia del café* que utilizara para establecer el cabaret. Primero compró el local y fundó una pequeña pulpería. Todo el vecindario veía en él a un trabajador inagotable que cada mañana, de forma casual, mandaba a una casa diferente media libra de azúcar y un paquete de café, para que lo cuelen y me manden una tacita. Hombre generoso este Luis Canario, que en el transcurrir de las semanas vio que la pulpería no dejaba mucha ganancia, así que consideró oportuno poner en marcha su plan secreto, por eso lo quiero consultar a usted vecino, también tenga esta media libra de azúcar y este paquete de café, pues se me ocurre la modesta idea de instalar un radio sencillito y buscar una jovencita que me ayude, porque así se me venderían más los cigarrillos y las cervezas. Esa idea suya no tiene nada de pecado, aquí le traigo su tacita de café. Gracias, vecina... Pero la modesta idea se fue complicando hasta que una noche supieron estupefactos que Luis Canario había convertido el local en una maipiolería, que desde entonces sólo les regalaría trasnoches, escarnio, rencillas y nunca más la media libra de azúcar y el paquete de café. Vieron las puertas reducidas a la mitad, la jovencita multiplicada en una banda de cueros y el radio sencillito transfigurado en una escandalosa vellonera.

Lo decían por su rara actitud después de la *estrategia del café*. Nunca oficializó el cabaret con un letrero, sino que lo dejó así, solamente pintado de azul, como para que nadie sospechara hasta entrar. A falta, pues, de letrero, la gente se acostumbró a llamarle "Luis Canario", simplemente "la barra de Luis Canario". Y Luis Canario nunca se mostraba en el cabaret, sino que se pasaba las noches recostado a la pared de enfrente sobre una silla de cuero de chivo, vigilando con recelo la maipiolería. Si adentro veía suceder algún problema, él mandaba a llamar al cantinero de turno y le ordenaba qué disponer. *No lo hace así porque se avergüence de su negocio,* corregía el padre Ruperto, *sino porque opera con el mayor de los poderes: el poder detrás del poder... como jugar a ser un dios.* Y así transcurría este ser de dudosos orígenes, leve, sin alarde protagónico, de alguna forma mítico y anónimo, cuya existencia oscilaba perdida entre el hombre y el simple nombre de un cabaret.

Las luces del cabaret empañadas con la humareda sucia de los cigarrillos. El Machote cerró la portezuela del cuarto y se bajó el zíper. La China se abrió desnuda sobre el camastro. Sin preámbulo de caricias o palabras a media voz, el hombre se le desplomó encima. La mujer activó el juego mecánico de movimientos pélvicos, caricias prefabricadas y frases sensacionalistas mientras pensaba en si ya había llegado el Gua; porque ella siempre se encargaba de embullar al Machote en lo que aquel pegaba cuernos con Caridad. No le humillaba servir de maipiola a su principal amante, porque el cuerpo es una vaina creada para compartir, pensaba en el fondo vacío de los *fuck me* y los *yeah yeah*. A los dos minutos exactos un gemido amordazado le avisó el orgasmo. La China, bañada por un sudor genuino, se vistió de nuevo, adulándolo con la falsa confidencia de que *oh beibi* tú eres el único tíguere que me hace venir de esa manera. Él la miró con una sonrisa arrogante. Hacer el amor con ella le reforzaba el ego de creerse capaz de volver loca a cualquier mujer. Le hacía sentir renovado, irresistible, voraz... aunque esa noche comenzó a sospechar que la China le fingía.

Volvieron a ocupar la mesita junto a la vellonera. La mirada cuchillera del Gua, quien le tenía inquina desde que se acostaba con Caridad, lo enfocó despejada y sucia. El Machote no pudo no percibirla, pero se hizo el desentendido. El otro olfateó la cobardía y tendió a ser más directas sus insinuaciones. En un momento que la vellonera dejó de sonar, su voz llenó el salón con imprecaciones anónimas.

—A esta barra llegan fulanos que quieren tirarse el pedo más alto que el culo... Privan en machotes y no son capaces de sacar ni una gata a mear –declaró el Gua, instigado por el *Brugal* y la risa desordenada de los otros–. Se acuestan con los cueros para creerse los muy machos y, sin embargo, no pueden hacer venir a su propia mujer... ¿De qué les sirve bregar con "varillas" cuando un particular tiene que meterle la varilla a su mujer?

El Machote se había mantenido haciéndose el que no era con él, pero ante estas imprecaciones el sentido del amor propio, no necesariamente el de la valentía, le obligó a protestar. Se puso de pie.

—¡Contigo era el asunto, pariguayo! –precisó el Gua, tirando la silla a un lado–. ¡Buena mierda, cuernú, hijo de tu maldita madre!

El otro se supo cruelmente ofendido. Le habían maldecido la hombría, la mujer y hasta a usted, mamá, que siempre fue como una santa. Se desplazó empujado por un ciego impulso de rabia; pero se detuvo en seco al ver que el Gua desenvainaba un largo puñal. Se quedó pasmado. Tantas noches en los cabaretes lo habían familiarizado con pleitos de cuchillo. Es más, en algunos llegó a intervenir para evitar desenlaces sangrientos. Sin embargo, esta era la primera vez que se convertía en el destino exclusivo de un cuchillo. Siempre andaba desarmado; no porque realmente se creyera más hombre que los demás, sino porque, en el fondo, la cobardía le hacía intuir que la mejor manera de evitar un pleito es andar desarmado. Fue en ese momento que comprendió por primera vez el *"nunca olvides que eres hijo de tu padre"*, que le advirtiera siempre su mamá como raspado del fondo de un caldero o del corazón. El Protagonista sacó una mano de entre la muchedumbre y le pasó un cuchillo. Él lo empuñó tembloroso. El pleito estaba casado. Pero no era esa la madrugada en que matarían al Gua ni tampoco era otra para él matar, así que antes de la primera embestida los chulos del cabaret detuvieron el pleito y al Gua lo sacaron por la fuerza. Sólo entonces el Machote recuperó la movilidad. Caminó sonámbulo hasta la mesita y dejó que su cuerpo, sumado a la muralla de su orgullo hecha pedazos, se desplomara sobre la silla. Los demás le dejaron caer sobre sus hombros el respeto fugaz que despiertan los vencidos.

VELLONERA QUATTUOR

En cuyos folios conocerá el desocupado lector el desenlace del Santo Grial y las muchas muertes que acaecieron para tal fin. Podría añadirse también un brevísimo apartado sobre los retos del catolicismo y el arte de bailar la bachata, para la sana instrucción del susodicho lector, cuya corrección se garantiza.

De ti me separo porque ya no puedo
soportar la angustia, saber que te quiero.
Tu amor es como una de esas cosas raras
que nublan la mente y agitan el alma.

–Luis Vargas

LA NOCHE ES LA CARETA DE LA NOCHE

Desengañado de bares y cantinas, de tanta hipocresía, de tanta falsedad, de los amigos que dicen ser amigos, de las mujeres que besan y se van, de la victrola que me dice tantas cosas y de los labios que mienten al besar.

Alzo mi copa en culto a la experiencia que no se aprende en escuela ni en hogar; eso se aprende en la calle, en la cantina, copa tras copa, bajo el fondo musical: lo que es ser pobre, lo que es tener moneda, es experiencia y se aprende mucho más.

Las trompetas, volcadas en un solo cuchillero y amargo, remataron la voz de vidrio roto de Orlando Contreras. El Machote las oyó apagarse cuando saltaba el canal, aunque de alguna manera ya estaban como grabadas con un punzón en su memoria. Orinó sin silbar bajo un framboyán seco, abochornado de no controlar aún el temblor que el encontronazo con el Gua le había dejado en las manos. Se subió el zíper sin sacudírselo y cuando iba a retirarse, una voz en falsete imperfecto lo detuvo.

—No lo guardes entero, que alguien podría desear un pedazo...

Bajo esa luz o ceniza de la luna, el Machote descubrió al Mecedora. Era la primera vez que lo veía a menos de cinco metros. Se desplazaba falsamente indeciso y sensual, mal encarnando una caricatura de mujer.

–La luna derrama su leche de luz, la noche es perfume para amar –canturreó, con los ojos sucios de lujuria. Luego recobró algo de sobriedad–. Oh, el ángel de los amores. No sé por qué siempre lo he dudado. Pero dice el adagio que probando es que se guisa... ¡Pruébame que eres un macho!

Y se flojó el broche de los jeans en actitud retadora. El Machote vaciló entre reírse o patearlo. En esa dicotomía estaba cuando en una transición repentina –atraído por la extraña seducción o desbordado de sadismo, o entregado a la rabia ciega que suele producir el hastío–, colocó al Mecedora en cuatro patas, le bajó el pantalón a la brava y, exagerando la inconsciencia de la borrachera, lo poseyó brutalmente bajo el framboyán. El otro trató de huir de aquel zarandeo salvaje, pero el Machote lo retuvo por el cuello. Lo apretó más aún cuando vino la descarga impostergable del orgasmo.

–¡No eres un macho nada! –reprochó en represalia el Mecedora todavía en cuatro, aspirando apenas migajas de aire–. ¡Tú no eres más que un farsante, un pendejo cornudo!

El Machote, como si sólo entonces recobrara la conciencia de los hechos, reaccionó airado. Lo golpeó con furia hasta dejarlo hecho una mierda en las aguas sucias del canal. Se subió el zíper de un tirón, se peinó con los dedos todavía temblorosos y se retiró dejando al maricón y a la flor salpicados de sangre bajo la luna.

La noche penetraba fatigada y trémula hacia la madrugada. El Machote abrió la puerta de la casa y al encender el bombillo descubrió a su esposa recostada en el mueble. Su rostro dulcificado por el sueño le recordó vagamente al de su mamá. Dejó la botella sobre la mesa y se acercó a mirarla. La contempló larga y silenciosamente hasta sentir en el alma el hondo rumor de su sueño. La tocó con tanta suavidad que podría asegurarse que la tocó casi con las manos. La mujer despertó envuelta en un leve sobresalto. El hombre se apartó avergonzado al escucharle la voz impregnada con la ronquera del sueño. La mujer le sirvió la cena fría y lo miró remota y callada desde la otra orilla de la mesa.

—Tengo que decirte una cosa —dijo, sin pasión.

Pero ya el Machote presentía lo que ella iba a decir, porque al sentarse había visto con el rabo del ojo una maleta aguardando en la puerta del aposento. Permaneció sordo ante la noticia.

—Usted no va para ninguna parte —determinó, y quiso apertrecharse en la botella de cerveza, pero sólo encontró espuma tibia.

La mujer enmudeció de sorpresa. Empuñó decidida la maleta y se dirigió desafiante a la puerta de la sala. En ese momento descubrió consternada la mano del enterrador que pasaba diciendo adiós por la ventana. El Machote reaccionó tirándola del pelo contra el mueble. Ella estalló en un desconcierto de gritos y lágrimas, describiéndole cruelmente, diríase que hasta con fruición, su incapacidad erótica. El hombre la abofeteó rabioso, y en el momento de ver cómo la sorprendió al acusarla de pegarle cuernos, se apartó dramático, terrible, imitando inconsciente un héroe de ópera. Reparó en el temblor que aún le dominaba las manos, mientras su pensamiento bullía en una llamarada. *Antes él sabía que ella sabía que él no sabía,* por lo cual era un simple engañado; *pero ahora él sabía que ella sabía que él sí sabía,* lo que lo transfiguraba en un pariguayo de alante, en un pendejo cornudo. Le fue sencillo comprender que debía resolver cualquier cosa. La miró mirándolo pasmada a través de su hastío. Sin apartar la sucia nubosidad que lo cubría, empuñó un cuchillo de la mesa y se lanzó contra la mujer. Luego recordaría inconvencible cómo desoía las desgarradoras súplicas de ella, su incrédulo rostro dolorido y lo raramente suave que se abre la carne a las cuarentisiete llamadas de un cuchillo. Miró el rostro frío de su mamá atrapado en el retrato de la pared. En ese momento, al ver a la mujer otra vez dormida sobre el mueble, volvió a tocarla con la mano. La besó con la misma ternura con que quizás alguna vez la había besado. Al disolverse en su boca una gota de sangre de aquellos labios rotos, tuvo miedo. Tiró el cuchillo a cualquier lado y huyó entre los paisajes terribles de la madrugada.

Es fácil pegar un tajo pa' cobrarse una traición o jugarse en una daga la suerte de una pasión. Pero no es fácil cortarse los tientos de un metejón cuando están bien amarrados al palo del corazón. Varón, pa' quererte mucho; varón, pa' desearte bien; varón, pa' olvidar agravios porque ya te perdoné. Tal vez no lo sepas nunca, tal vez no lo puedas creer, tal vez te provoque risa verme tirado a tus pies... se escanciaba la voz terriblemente dulce de Gardel desde una vellonera en el abismo infinito de la noche.

«LA PRIMERA SEÑAL SE HA CUMPLIDO:
La Muerte de la Mujer Adúltera.»
El perpetuo flash de la mañana irritaba los ojos. Los arruinaba. La ventana lo dejaba entrar moldeado en un triángulo deslumbrante. Benedicto, Santiago y

Morgana, tocados por una devoción obscura, escuchaban las indicaciones de Geofredo. La voz pedregosa del hombre llegaba un poco quebrada por la emoción.

–La ubicación del Santo Grial la obtendremos luego de recoger la Cifra que habremos de interpretar. La primera parte de la Cifra está en esta mujer sacrificada.

–¿Cifra? –vaciló Santiago–. ¿Por qué una cifra?

–Cuando fray Tirso de Molina escondió el Santo Grial en estas tierras de la Concepción de la Vega, compuso una cifra cuya interpretación permitiría a la posteridad dar con la ubicación precisa. La primera parte de la Cifra está en la mujer sacrificada; así lo dispuso la Providencia... Fue Pitágoras quien basó en el número la existencia del hombre. Fiel a su poética, el Estado moderno cristalizó el número: *cada hombre es en tanto es una cifra...* y esto desde el nacimiento hasta la muerte. Pues bien, la primera cifra de la Cifra es el número de la cédula de identidad de esa mujer sacrificada.

El sol cambiaba de posición con lentitud, mudando el triángulo de luz. Todos habían quedado en silencio. Y la mujer dijo:

–Yo puedo conseguir la cédula de la difunta, que la tiene una amiga mía.

–Debéis transferir esa misión al mariscal Benedicto *de la Augustísima Castidad.*

El triángulo de luz desapareció por obra de una interposición de nube. Geofredo proclamó una sentencia en latín y concluyó el campamento.

La muchedumbre avanzaba apretujada y lenta, imparable, como si pretendiera meterse en el ataúd.

Entregada al obscuro alivio que despierta la tragedia ajena. Benedicto se ahogaba en el sudor propio y el ajeno. Una mosca caminaba impía por el rostro muerto de Caridad. Su madrastra, gastada de llorar y envuelta en un olor anestésico de hojas de guanábana, se la espantó y luego le fue recordando en voz alta diferentes sucesos de su pasada vida familiar, adolorida, musitando, hasta que se le borró la voz. La gente se le acercaba a descargar sobre sus hombros el polvoriento catálogo de clichés –*le acompaño en su sentimiento, conformidad conformidad, para cualquier cosa cuente conmigo, mi más sentido pésame, hay que seguir adelante, no somos nada no somos nada*–, al cual ella respondía con el abrazo silencioso exigido por el uso. Benedicto siguió naufragando entre la muchedumbre hasta que una mano sudada lo agarró por un brazo y lo guió con silenciosa autoridad. *"¿Eres Benedicto, verdad? Se te ve en los espejuelos... La comadre dijo que ibas a venir interesado en conseguir la cédula de la difunta"*, fue susurrando la voz de la mano, hasta que al fin salieron al aire fresco del patio. Era una mujer. La desconocida, con el maquillaje arruinado por el sudor, lo ojeó detalladamente y su mirada tomó un brillo vulgar de seducción que el muchacho no descifró.

–No, la cédula está *in mai jaus* –coqueteó. Luego, seducida por la ingenua insistencia de Benedicto, concretizó los detalles de la entrega–. Visítame esta noche después de las diez. Es el cabaret de Luis Canario. Si no vas, quemo la cédula... ¡Ah!, si acaso no me ves al llegar, pide un *Brugal* y pregunta por la China, que esa soy yo.

Benedicto intentó proponer otro tipo de cita; pero la China se fue dejándolo con la palabra en la boca. Quedó solo y perplejo en el patio por algunos diez, quince minutos. Para salir a la calle debió someterse una vez más al ritmo estrujador de la muchedumbre. En una quedó trabado frente al padre Ruperto y no fue sino tras bailar un incómodo bolero que lograron separarse. Una mano que de tan junta a la suya pudo parecer su propia mano, entró en forma de pinza al bolsillo trasero del padre y de allí sustrajo limpiamente la cartera. El muchacho quiso advertirle, pero el maremoto humano lo atestó de golpe contra la puerta. Salió al aire libre de la calle con los pies demolidos, una mancha de café en la camisa y un imborrable olor a flores marchitas.

Liberata llegó a la casa curial con las campanadas de las seis de la tarde. El campanario de la catedral funciona como una campanita de Pavlov. Cada vez que suena –digamos a las siete de la mañana, a las doce o al atardecer– la gente de la ciudad realiza una secuencia invariable de actividades mecánicas, que van desde tomar con la misma cantidad de pasta el mismo cepillo de dientes hasta cenar con la misma cuchara la misma mierda de todos los días. Liberata, como un perro condicionado y feo de Pavlov, llegó a preparar la cena con puntualidad escrupulosa.

Los manuales de estética coinciden en admitir que la belleza es relativa. Pero en el caso de esta mujer, se trata de una fealdad absoluta. Parece lejanamente compuesto para ella aquel triste epigrama anónimo que Antíoco recogiera en el libro segundo de su *Antología: «¿Quién querrá pintarte, si nadie quiere verte?»* La Providencia es sabia y benigna, pues si hubiera puesto en Helena la fealdad de Liberata, Menelao nunca habría marchado contra Troya, ya que Paris jamás hubiese realizado el rapto. ¿Y qué quedaría de la grandeza griega al eliminar el episodio de la

Guerra de Troya? La fealdad, distribuida de manera arbitraria, puede causar daños irreparables a la historia.

Al terminar la cena, Liberata caminó imprecisa por la sala y se detuvo frente al espejo. No lo hizo para arreglarse, sino para limpiar una mancha que empañaba el cristal. Siempre asumía su fealdad con decoro, pues obviaba el maquillaje y sólo hablaba lo imprescindible, quizás porque la experiencia propia le hubiese enseñado que en las mujeres feas el hablar mucho provoca desagrado. Limpiaba el espejo lenta y silenciosamente, como haciendo un triste adiós tras la ventanilla de una guagua.

Se habla de un poema de Joyce Mansour que reza: *«Soy feliz siendo tan fea, porque los buitres me aman y Dios también»* ¡Mentira! ¡Falsedad atroz! ¡Oh, poesía, cuántos crímenes se cometen en tu nombre! Pues, ¿en qué cabeza puede caber que el mero hecho de ser fea haga feliz a una mujer? Aceptemos que Dios, en su bondad infinita, matemáticamente pueda obviar la fealdad; pero, ¿qué esperar del buitre?; ¿qué de infinita bondad puede haber en la precaria dieta de un buitre? El hermano buitre, que ama la inmediatez del bocado putrefacto, ha de tener un límite en su dieta peculiar: la carne conservada de una mujer fea, la carroña fresca de Liberata.

Liberata acabó de colocar los platos sobre la mesa y los cubrió con una toallita. En lo que el padre Ruperto llegaba, decidió prepararle un postre de guineos ahogados en leche condensada. Unos ojos registraban todo a través de la persiana. El sacristán, quien la venía espiando toda la tarde, observaba agazapado, quizás sin percibir las suaves pinceladas de la llovizna.

El padre Ruperto terminó de cenar sin romper el

silencio. Pensaba tal vez en el desalmado que le había robado en el velorio la cartera, la cual contenía el dinero de las ofrendas y su cédula. Luego de tomar un vaso de agua, eructó con recato y apartó los platos satisfecho, convencido, como si fueran fichas de casino.

—A los santos se los estaba comiendo el polvo, pues el irresponsable del sacristán duró una semana sin venir por la iglesia —dijo el padre, mientras se barría con un palillo los residuos de la cena—. Dicen que se frustró porque no le diste amores. Parece que cree que yo fui el culpable de tu rechazo... Hay personas pobres de voluntad y débiles para la fe. Lo digo porque el muy sinvergüenza me informó esta mañana que se había metido a evangélico... ¿Qué se habrá creído ese descarriado?

Liberata lo escuchaba sin sorprenderse. Las mujeres feas son tardas para el sobresalto, quizás porque temen esbozar en el gesto inesperado una faceta inédita de su fealdad. Recogió los platos y los depositó en el fregadero. El padre tomó dos cucharadas del remedio para la maldad de estómago y la contempló con energía, casi encaramando los ojos sobre el armazón de los espejuelos. El olor del alcanfor comenzó a infestar el aire. La fea terminó de pasar el trapo a la estufa. Cuando se caló la mantilla y recogió el paraguas, el padre, que no había dejado de mirarla, la requirió.

—Pssst, pssst —bisbiseó, y terminó de atraerla con un dedo, como si la tuviera atada a un hilo. Le quitó la mantilla y la recusó en un tono falsamente airado, susurrante—. ¿Por qué caminas de esa manera frente a mí? ¿Ya olvidaste lo que te dije sobre las tentaciones? Tú eres tremenda, muchachita... ¿Qué ganas intentando seducirme?

Liberata sabía que la acusación era infundada. El arte de la seducción le es vedado a las mujeres feas. Pero ella conocía la verdadera intención de este viejo recurso y por eso no se defendió. El padre Ruperto continuó su discurso sentado aún en la silla, sintiéndose cada vez más sofocado por el intenso olor del alcanfor. Le acariciaba distraídamente el tobillo y fue dejando que su mano ascendiera despreocupada por el edificio blando de la pierna, larga caricia que se detuvo suave en la cara interior del muslo, mientras susurraba *ángel de tentación, ángel de perdición* como si tratara de apagar un fuego en su boca. La llovizna deslizaba sosos arañazos en el techo. Desde el otro lado de la ventana, mojado, el sacristán seguía la escena, mudo, escéptico, practicando el inútil sofisma de abrir más los ojos para ver mejor. El padre levantóse y la fue guiando de la mano, su letanía apagándose por la falta de aire y el exceso del alcanfor. Liberata se dejó llevar, oveja mansa que sigue a su pastor, caída otra vez en el deseo, domesticada, flotante, con sumisión animal. Se desvanecieron en la penumbra del dormitorio.

La fea Liberata permaneció un instante junto a la lámpara. Fue cayendo la mantilla, el vestido marrón apuntando al plomo de los tobillos, fueron cayendo sus zapatos de tacón fuera de moda. Tras el pesado derrumbe de sus ropas, emergió su cuerpo, que confrontado en la lumbre se veía... se veía... ¡se veía inesperadamente hermoso! Las partes encontradas desde el cuello hasta los pies entonaban un juego de preciosísimas ondulaciones. Algo de Vivaldi compuesto para violín y cuerpo. Líneas voluptuosas de bestia endemoniadamente apetecible. Piel transparentada por la luz. Un cuerpo cuya perfección zahería los ojos. ¡Jesús santísimo!, cuánta belleza hecha de carne. Liberata desnuda, con el rostro diluido en la sombra. Liberata apoyando una rodilla en la almohada, quizás vacilante y vencida de ternura, dejando caer sobre las sábanas la tibia llovizna de su cuerpo.

El cabaret lucía abandonado. La vellonera restallando boleros inútiles en el salón huérfano de risa y humo. El cantinero, atado a una cadena de bostezos, estrujaba innecesariamente un trapo sobre la barra. La clientela había preferido incorporarse al espectáculo gratuito del velorio. El único visitante en el cabaret era Benedicto, aburrido por la verborrea de dos cueros y por una cerveza que de tanto esperar se había puesto tibia. Qué distintos estos días, recordaba de lejos el cantinero, qué distintos son a aquellos en los que el Gua descubrió que la China tenía entre sus piernas cocomoldán. La barra se llenaba de muchedumbres de machos que pagaban lo que fuera para probar el prodigio, rememoraba la China. Llegaban desde temprano, pensaba Crucita rencorosa, llegaban en procesión desde temprano mendigando un turno para acostarse con esta hija de la gran puta y nunca con nosotras, que nos moríamos de miseria por no podernos ganar ni un centavo, porque supuestamente la sucia esa tenía cocomoldán en el toto.

    —Esta barra está más muerta que un sieso de monja —se quejó finalmente Crucita mientras taconeaba hacia el baño.

    La China recogió a Benedicto en un abrazo torpe. Primero que la lujuria de sus brazos, el muchacho sintió el aroma vulgar del desodorante y el roce del sobaco mal depilado. Hubiese querido zafarse, pero pensó que a lo peor sería un gesto descortés de

{135}

su parte. Le pidió con la voz estropajosa y enredada que por favor le consiguiera la cédula.

–No le des mente a eso ahora, que hay vainas más importantes en la vida –protestó la China. Diole a beber la cerveza con exigencia maternal hasta la última gota de espuma, divirtiéndole sus tímidos rechazos que cada vez iban siendo menos pudorosos. Al notarlo relajado, le quitó los espejuelos y acarició sus cabellos–. Igualito al protagonista de *Los ricos también lloran*... ¡Ay, Jesús, mira cómo se le para!... Apuesto a que eres virgen. Si hasta parece un ángel...

Benedicto se defendió levantando las cejas encima de una risa bonachona. El eco de la China diciendo *ay vean está borracho,* el escándalo borroso de la vellonera, la imagen difusa del cantinero bostezando aburrido desde la barra, la torpeza de la lengua, la inusual ausencia del rubor y esa mano entretejiéndose impune entre la suya, le hicieron comprender de súbito que sí, que por primera vez en su vida estaba borracho. Levantó de nuevo las cejas con desprevenida estupidez y quizás se sintió asustado por asumir la misión de conseguir la cédula de la difunta Caridad y de haber husmeado tanto en nombre de la literatura. El cuero se acercó más en el momento que él confesó estar borracho y le retuvo los labios en un beso aparatoso. El muchacho dejó los ojos abiertos y se sintió flotar mientras una babosa mojada de tabaco se desaguaba en su boca. Era su primer beso.

El resto sucedió con la eficiencia irremediable de los cataclismos. Tras una transición autónoma, se encontró volcado en un cuarto frente a un cuerpo desnudo que por primera vez no era el de una foto de *Playboy.* La China lo abrazó sin falsos jadeos y él, repujado bajo aquella piel trémula de deseo y esa vocecita que empezaba a musitar tremulante *oh maigá,* consideró vagamente que a lo mejor no debía llegar tan lejos. Pero cuando intentó escaparse descubrió que ya estaba en el 'lejos'. Entonces halló refugio en la excusa de una cédula, en el fulgor de una copa de diamante y en la idea de otra vivencia útil para su novela. Finalmente se entregó con coraje a la Providencia y dejó que todo siguiera su curso infinita, libremente, como si él estuviese ausente de aquel cuarto.

Los evangélicos escuchaban apretujados en los rústicos bancos de madera. El sudor les chorreaba inagotable mientras escuchaban la tanda de testimonios. El pastor, atrapado en un grosero nudo de corbata, escuchaba con severa indulgencia el clamor de su rebaño. El último en subir a la tarima recaudó una atención singular, pues fue presentado como *un pecador redimido que durante años había servido a la grande ramera en la forma de sacristán.* El sacristán fue recibido en un silencio laborioso. Ya le habían extraído los demonios, había hablado en lengua a los oídos de Jehová y ahora sólo faltaba dar su testimonio de arrepentimiento para recibir el bautismo. La parte central de su testimonio sería revelar el comercio carnal entre el padre Ruperto y Liberata que presenciara horas atrás. Levantó la Biblia con decisión y se acercó al micrófono. Era su hora de gritar, de decirlo todo, y por primera vez en la vida se sentía poderoso.

La mañana arrojaba una luz marchita sobre la muchedumbre que penetraba apelotonándose a la iglesia. Los rostros marchaban detrás del ataúd, lánguidos de llanto o estrujados de trasnochar, hundidos calladamente en la curiosidad de escuchar la explicación del padre Ruperto con relación al escandaloso testimonio dado por el sacristán la noche anterior, escuchado en todo el barrio a través de la potente bocina de los.evangélicos y retransmitido esa mañana por el programa radial *Gloria a ti, Jehová*. Una paloma negra aleteó en círculos sobre el altar y huyó despavorida por una ventana.

–Trajeron la caja de muerto, padre –recordó el monaguillo.

El padre continuó vistiéndose parsimonioso. No había logrado pegar los ojos en toda la noche y un profundo cansancio le molía los hombros. Desconocía la noticia del testimonio y pensaba en Liberata embargado por una presión exclusivamente interior. Las imágenes sensuales de la noche anterior quebrantaban su disposición al olvido. Le atormentaba no tanto el saber que había fallado, sino intuir que, contrario a lo que predicaba, no existiera ningún lugar posterior donde pagar su culpa.

–Trajeron la caja, padre.

Se caló despacio la sobrepelliz. Recordaba con nostalgia al adolescente que llegara una tarde al seminario de manos de su hermana la monja y de su madre que cantaba un *gracias Señor por completarme este par de ángeles*. Al adolescente empeñado en hallarse fuerzas para sostener el mundo. Al adolescente que llegó a creerse capaz de redimir la humanidad. Al adolescente puro. Al adolescente que a pesar de todo no necesitaba el auxilio de metafísicas alambicadas para creer en Dios.

–Que ya trajeron la caja, padre.

Las nubes se apelotonaban imprecisas en el cielo. Terrosas, multiformes. El Platanón las miraba recostado sobre los periódicos viejos. Pasaban y se detenían; formaban algo y lo deformaban, como niños jugando al adivina adivinador. Hacían una vellonera de algodón. Un retrato barbudo de Dios. Un hombre con muñeco, que antes salía para carnaval. Una comadrona diciendo yo conocí a tu mamá. Una imagen del enterrador haciendo un adiós desde su caballo. Hacían una vaca que flotaba graciosa y se deshacía en el aire helado de la madrugada.

Esa madrugada, el Platanón despertó al sentir un trote suave. De pronto descubrió justo sobre su cara los ojos dulces de la vaca. La vaca buscada toda su vida aparecía ahora sin aspavientos, olorosa al perfume ajado de los tiempos. El animal recostóse mansamente a su lado y abrió la boca en un largo bostezo que produjo una garza, la cual, como si estuviese hecha de nube, escapó describiendo un vuelo grácil que la desvaneció en el aire. El Platanón consideró amarrarla, no fuera a ser cosa que se le escapara como aquella vez. Pero la fatiga le impidió moverse. Se conformó con intuir que la vaca ya jamás volvería a huir. Decidió que más tarde la llevaría en procesión por todo el barrio, orgulloso, profético, mondo y lirondo, hasta la carnicería. Al fin demostraría que él no era ningún ladrón. Le tendrían que pedir perdón, perdón por dudar de tu honra, Alcides, vecinos miren ahí la vaca y uno que dudó de este buen hombre, del pobre mudo, caramba. Eso sería más tarde. Sintió un hondo impulso de reír de todas las formas, como en el disco de risas de Juan Espínola. Pero la fatiga lo retuvo. Le consoló pensar que los mudos no podían reír y que, de todos modos, a su alrededor no había nadie para escucharle. Sonrió en silencio lo más que pudo y se quedó dormido.

La gente sabe que los locos son así: vagan de día y desaparecen de noche, porque en el fondo nebuloso de su existencia son una especie rara de vampiros al revés. Eso explica que coman de los basureros y le tengan tanto miedo a los carros y al agua, así como que haya que amarrarlos cada vez que la luna sale llena. La gente sabe que los locos son así: andan sin motivo por el barrio y desaparecen un tiempo sin ser echados de menos. Que los locos no tienen casa, y si alguno tiene lo encierran en un cuarto obscuro para que no deshonre a la familia desnudándose por la calle. Saben que en Nueva York los internan en una clínica donde los mantienen, mientras que aquí los meten al *Veintiocho,* donde pasan tanta crujía que terminan por escaparse. La gente sabe que los locos son así: anteriormente eran evangélicos o maridos apegados, radiotécnicos o muchachos malcomidos que se pusieron locos de tanto leer. Algunos sirven para los mandados, otros saben embullar haciendo morisquetas y hasta se llegó a decir de uno que tocaba las campanas en la iglesia de San Antonio. Que el loco verdadero jamás pide, aunque siempre se le ve medio gordo. Que hay unos que son enfermos y otros que no son sino sinvergüenzas. Que nunca, nunca se puede permitir que se acerquen a los niños. Tienen nombres raros como *Rosa la Loca, la Mujer del Tíguere* o *Marichal Saca la Palanca,* pero jamás se conocen sus apellidos porque no tienen familia ni sacan cédula, y que, para colmo, la costra y el vaho no permiten adivinarles la edad. La gente sabe que los locos son así: no van a misa ni hacen la primera comunión. Soñarse con un loco da 28, aunque *La Sibila* dice que da 64. Los locos nunca se sanan, y si se sanan quedan atronados o tan tristes que es mejor ponerlos locos otra vez. Que nunca es bueno acercárseles. Por eso, cuando están tirados con los ojos cerrados en la calzada, la gente pasa de largo sin tocarlos y sigue su camino de lo más campante, sin averiguar si sólo están dormidos o acaso muertos.

«LA SEGUNDA SEÑAL SE HA CUMPLIDO:
La Muerte del Loco.»

Geofredo sacó del baúl el expediente del antiguo maestre Guillermo *de la Cruz Inmaculada,* el cual comenzaba a ceder a la multiplicación de la polilla. Lo hojeó con propiedad, ocupando el centro del triángulo trazado por la luz destemplada del atardecer. Según el antiguo maestre, el Platanón había sacado cédula antes de su locura.

«Pero la noche anterior a su desdicha –se leía en el expediente–, mientras echaba en la vellonera de una pulpería una moneda para escuchar el disco de risas de Juan Espínola, la Providencia deparó que al Platanón se le cayera la cédula por una rendija de la vellonera. Sus esfuerzos para recuperarla fueron inútiles esa noche, por lo cual acordó que regresaría al día siguiente para sacarla. Pero al día siguiente lo acusaron de robarse una vaca, y malogró de locura por no soportar la idea de que alguien pudiera dudar de su honra. Un loco de la virtud... Así que la operación de rescate quedó en el olvido y desde entonces la cédula del Platanón permanece atascada en el mecanismo frío de la vellonera.»

Geofredo cerró el expediente y trazó una pequeña cruz sobre un mapa, la cual indicaba el lugar exacto donde, según indicara el antiguo maestre, se conservaba la vellonera.

–La vellonera es vigilada por una mujer espectral –advirtió, después de regresar el mapa a las fauces polvorientas del baúl–. Esta vigilante puede

parecer inofensiva, pero en realidad es muy peligrosa...
La única oportunidad que tenemos de recuperar la
cédula y complementar la Cifra nos ha sido dada para
esta noche, exactamente en el tiempo comprendido
entre las doce y las doce y siete minutos de la
medianoche. Si no lo hacemos dentro de esos precisos
siete minutos, no habrá forma de recuperar el Santo
Grial.

10 de marzo: San Cayo, san Macario, san Cipriano.
*Le entregué la dichosa cédula a Geofredo. El
juego este del Santo Grial se va poniendo más raro;
si no fuera porque siempre entramos en él bajo los
efectos de algún alucinógeno, diría que se trata de
una locura. No sé si esta realidad se está yendo de
mis manos. He visitado el mundo de la cocaína, del
crack, del opio, del hachís, del cemento Petronio...
he penetrado sin temor el espacio de los temores y al
menos no he sido devorado. No me jacto de esta
experiencia, pero creo que un escritor necesita
conocer todas las caras de la realidad. ¿No probaron
Poe y De Quincey el opio? Incluso el maestro Borges,
tan poco dado a los placeres, llegó a probar la marihuana. El asunto es explorar, y salirse a tiempo.
Geofredo me pidió que le entregara trescientos pesos
para prepararme lo que le llaman el barril de las
visiones. Según me dicen, se trata de un barril inmenso
lleno de agua tibia salada, en el cual uno se sumerge
por una hora después de tomar un té relajante. Dicen
que es el mayor estimulante de visiones, que es como
subir al cielo en compañía de un ángel. Le di el dinero,
pero esa será mi última experiencia de esa clase.
Luego regresaré a la capital. Creo que la investigación
del barrio y el recuerdo de todas las visiones son
suficientes para escribir mi novela.*

LA ROSA DE LA HERRUMBRE
Novela inédita
de Benedicto Pimentel
CAPITULO 42
EL BARRIL DE LAS VISIONES

El atardecer gravitaba iluminado y lento, inacabable, como la hostia. Una cruz de palo tosca y descolorida se reflejaba sin consistencia sobre el agua tibia del barril. Benedicto esperaba inquieto el momento de zambullirse.

–La ansiedad puede destruir vuestras visiones –advirtió Santiago–. Relajaos, señor mariscal, inhalad por la pipa de cristal el humo fuerte de los sueños... Sabéis que esto es el hachís y que vos mismo habéis dispuesto de los dineros para comprarlo. Mas no temáis, pues nada es malo si la Providencia lo permite. No olvidéis que todo lo situado entre la vida y la muerte es necesario dentro del juego de Dios. No habléis, no penséis... sólo tratad de oír y respirar...

–Durante la mar de visiones, nunca olvidéis que sois un ángel.

–Un ángel condenado a caer –sonrió *Morgana.*

Benedicto descansaba mirando el inmenso barril, que estaba construido de dos barricas pegadas con brea. Esperaba a que el agua salada estuviese tibia, mientras sentía que el cuerpo se le iba adormeciendo bajo los efectos del té de hojas de campana. Santiago hojeaba su cuaderno de apuntes.

«Una vez Alguien quiso escribir una novela – le oyó decir lejanamente, mientras dejaba caer el cuaderno con desgano–. Comenzó a redactar emocionado el primer párrafo, pero antes de terminarlo se sintió vacío, falso, constructor de cosas objetivamente muertas. Pensó: "escribir novelas es ejercicio de tontos", por lo cual rompió el papel y decidió hacer una obra mayor. Ese Alguien era Dios, y fue ese el día en que construyó el mundo. Vino el tiempo, y un día el hombre dijo maravillado "escribir novelas es ejercicio de dioses". Y ese día Dios lloró porque sintió que el hombre no le conocía.

»–Pero la novela, como producto del arte, hace más posible el mundo –vio Benedicto que cantaron a coro el pobre y el rico contrapuestos en un viejo cuadro bajo la frase *«yo vendí a crédito... yo vendí al contado»*.

»–La novela, como todo el arte, es un error del hombre. Una ilusión de la ilusión. Una vergüenza. ¿Cuántas veces no hemos visto al hombre creerse demiurgo o dios por el simple hecho de inventar algo que sobra?

»–¿Dices que el arte sobra? –protestaron los perros del cuadro que juegan a la baraja, el cual estaba colocado para tapar un boquete de la pared.

»–Sobra, porque no es invención vital. Si destruyeras por siempre todas las obras de arte que existen, el universo seguiría su curso. ¿O acaso se detuvo cuando los árabes incendiaron la Biblioteca de Alejandría o Mao Tsé-tung desató la Revolución cultural? Pero si escondieras por un sólo día digamos el aire, el mundo desaparecería para siempre... y más que el mundo, la realidad. Únicamente la obra de Dios es justificable; el arte es redundancia inútil y vanidad.

»–¡Qué infantil es este! –despreció la niñita que se saca la espina del pie en el cuadro–. Trata de imaginar el mundo sin el arte.

»–¿Lo imagino para ti? –dijo Santiago, diluyéndose en una luz–. Míralo: no hay lápices, ni tubos de pintura, ni violines, ni críticos huecos, ni actores exhibicionistas: y todo es hermoso. La luz refleja la naturaleza pura; escucha el aire estirando las cosas, y a Dios, ¿no sientes la voz de Dios diciéndose en estos espacios vegetales? El arte, niña, sólo traerá el recuerdo de que toda esta pureza se ha perdido.

»¡Ajá! –exclamó aliviada la niña, porque al fin, por primera vez en su larga existencia, logró sacarse del pie la espinita.

»–La novela patentiza el dolor del hombre. Recuerda perpetuamente su caída. Un ejercicio vano. Un pecado no sólo en el sentido religioso, sino en el de las cosas vulnerables que no deberían ser –culminó Santiago antes de deshacerse en la luz.»

"¿Ya el té le dio la nota?" "Ajá", confirmó *Morgana. "Llegó el momento,* anunció entonces Geofredo; *pongámosle la escafandra."* Y le pusieron una escafandra. *"Pongámosle ahora el tubo."* Y le pusieron un tubo para respirar. Entre los tres lo levantaron, lo ayudaron a subir por la escalera y lo dejaron zambullir suavemente. Después le pusieron la tapa al barril. «*¡Can, can, can!,* sonaron adentro los golpes de martillo dados a la tapa por Santiago. *¡Despertad, señor mariscal: ha llegado el tiempo de las visiones!»*

Benedicto despertó de un sobresalto. Súbitamente se vio rodeado de agua. Aspiró con angustia; pero pronto entendió que el agua no podía dañarlo, porque él se encontraba dentro de una fuente de cristal. Y descubrió también que era la rata encerrada por el Bosco en *El jardín de las delicias.* Huyó despavorido entre mujeres desnudas que eran demonios con cabeza de pez. El agua de sal le perforó las entrañas y vio arco iris cruzando por sus heridas. Las pulgas se suicidaban felices lanzándose al lago profundo de su sangre. Fue entonces cuando lo alcanzó la dentadura metálica de un pez gigante... Abrió su boca sin limitaciones y caminó hasta la lengua. Vido la tierra recién sacada del horno, vaporosa, recién hecha por la mano de Dios. Vido entonces la mano del Ángel que le dijo yo soy el ángel que guiará a Jonás. Ven, penetrarás conmigo las visiones.

La luna los vigilaba de soslayo, agazapada tras un sucio retazo de nube. Geofredo, Benedicto y Santiago permanecían escondidos a pocos pasos del billar, que era el sitio donde antiguamente se encontrara la pulpería. Junto a Geofredo, trepada a un asta enclavada en la tierra, la *baucent* del Temple mostraba la cruz roja sobre el fondo blanco y negro. Santiago se veía impaciente, nervioso, dando la impresión de que su cuerpo le quedaba grande. *Morgana,* que conocía de cabo a rabo el billar, había asegurado que allí no tenían ninguna vellonera; pero de todos modos, fiel a los datos del antiguo maestre de la Orden, pusieron en marcha una operación para rescatar la cédula del Platanón, de la cual excluyeron a la mujer amparados en una interpretación hermética del *Génesis 19:26.* Las campanas de la catedral liberaron el toque lánguido que anunciaba las once y media. Geofredo abrazaba el costal que guardaba el hacha virgen y la botella de agua bendita. Esperaban indecisos, calculando la manera de burlar al sereno del billar. El tiempo caía pulverizado y menudo, como desde un reloj de arena. En el momento que los badajos callaron de dar las doce, el sereno se apartó del local. Los tres hombres salieron presurosos del escondite y avanzaron hacia el billar.

La puerta se vino abajo tras una embestida brutal. Los

tres hombres penetraron rápidamente al salón de billar y husmearon a su alrededor. Una luz naranja deshizo de pronto la penumbra. En un rincón entretejido por arañas agazapadas, descubrieron el armatoste herrumbroso y mudo de la vellonera. Sus cristales coloridos permanecían opacos bajo la ruina polvorienta de los años, trabajados con industria por la corrosión que provee el abandono. A poca distancia de la vellonera, vieron además una mujer descansando de espaldas en un viejo diván.

—Al fin has llegado, querido mío –dijo la mujer, amparada por una dulce voz temblorosa. Se puso de pie con flirt y extendió sus brazos indecisa hacia cada uno de los hombres, hasta que se decidió por Benedicto. Lo contempló, seductora–. Te he estado esperando toda la vida.

El muchacho la observaba pasmado. La mujer traía un vestido rojo ceñido al cuello. El atrevido escote develaba un collar de perlas que dejaba caer un diamante acorazonado sobre el vacío de los senos. Sus brazos adornados con serpientes de oro. Sobre sus hombros descansaba una boa de plumas amarillas. La perfecta simetría de su pelo ensortijado denunciaba la presencia inequívoca de una peluca. La mujer tomó una bocanada del pitillo y dio varios pasos abanicando la boa hasta detenerse junto a la vellonera sin dejar de contemplar a Benedicto. La fuente de luz naranja la definió con detalles. Era una anciana. Su rostro se veía arrugado por la impiedad de los años. El muchacho, apresado en esa rara solemnidad que despierta a veces lo ridículo, descubrió sobre la pared varios afiches de artistas de antaño rodeando una foto en que la mujer bailaba con el Generalísimo. Luego quedó alelado ante su mirada insinuante.

Geofredo presintió con angustia que los siete

minutos casi se agotaban. Con un impulso repentino roció una cruz de agua bendita sobre la mujer espectral y de un golpe brutal enterró el hacha virgen en la vellonera. La mujer profirió un grito desgarrante, como si la hubiesen rociado con ácido, mientras que la máquina se quebró despachando un detritus de tornillos y cristales. Geofredo rebuscó ansioso en el mecanismo roto, hasta que al fin pudo encontrar, ajada y borrosa, la cédula del Platanón. La mujer bajó los ojos, derrotados de melancolía.

—Yo soy Cuca, la que bailaba con Roquetán— reveló, vindicando un gesto de autoridad tardío y estéril. Y se echó a llorar desconsoladamente sobre la mole oxidada de la vellonera.

Benedicto intentó consolarla, pero Santiago lo contuvo y de un pescozón le hizo volver a sus cabales. Las arenas del reloj acumularon las doce y seis minutos con cincuenta segundos. A seguidas, la luz naranja se tiñó de penumbra, hubo un silencio de sepulcro y todo comenzó a quebrarse bajo el movimiento descompasado de un terremoto. Los tres hombres lograron salir y escaparon velozmente por la orilla del canal, siguiendo la precaución de no mirar hacia atrás.

Liberata cruzaba cabizbaja por la orilla del canal. Las lavanderas dejaron de estregar las sábanas para que ella viera que ellas la estaban mirando. Los cueros que singaban cuajados de nocturnidad donde Luis Canario abrieron a su paso las persianas para mirarla. El último peregrino que visitara las rosas azules y se marchaba cansado de esperar el milagro de la Virgen, rascándose aún las costras, la miró. Los tígueres del billar la miraron desde atrás del enrejado carcomido. Todos, hasta el perro de la barbería que paró de rascarse las pulgas para mirarla, la miraron al pasar, zahirientes, con armonía coreográfica, olvidando quizás por primera vez su cara desagradable a los ojos. Liberata desfilaba sin ocultar el rostro ante ese implacable desorden de miradas. Llamaba la atención por estar involucrada en el escándalo del padre Ruperto. La noticia, divulgada fogosamente desde la radio por los evangélicos, ocupaba el primer plano en los salones de belleza. Había conmovido, diríase deleitado, a toda la ciudad, hasta el punto que al Riito llegaban lejanas procesiones de curiosos rastreando los pormenores del escándalo. La gente veía pasar a Liberata con reticencia, con fruición soterrada y hasta como con gratitud por permitirles presenciar el espectáculo de su propia caída.

«Y no vuelvas, ilusa, a procurarlo con tu inútil gesto de tristeza. Por más que no comprendas, su verdad nunca fue para dañarte. Sin embargo, tú le hiciste daño, no con lo que hiciste, cosa menor, sino con querer hacerle daño. Ningún enemigo le ha causado dolor. Pero tú, que recibiste su corazón como una casa abierta, a él, que cuidó de ti, le diste dolor... Vete de una vez, muchacha sola. Si regresas, en realidad no regresarás. Lo conoces en su rostro de amor, pero si vuelves lo conocerás en su rostro de odio. Te destruirá. Ya tocaste su boca y él sólo te apartó con su dedo de sombra maciza y ahora se ha marchado dejándote solitaria en el parque gris. Tienes tiempo para huir... Dichosa tú, muchacha ilusa, que aún estás entre los árboles sola. Huye ahora que puedes. Ay, porque si regresas será para ahogarte en su borrasca. El dolor sería en ti y ni siquiera la muerte, con su antigua máscara de silencio y nada, te liberaría del dulcísimo abismo. Déjalo. Si vuelves a buscarlo con tu mirada triste, podría pasar que él extendiera su pecho para

cobijar tu llanto... Y a partir de entonces conocerías
el dolor eterno. Cucaracha inútil, basura.»

La madrugada comenzaba a tremular bajo los dedos rosados de la aurora. El padre Ruperto, guardándose de la lluvia bajo el paraguas que su hermana la monja le regalara el día de su ordenación, tiró la última maleta en la parte trasera del jeep, encendió el motor y se desplazó por la carretera desolada. Fue dejando atrás la casa curial, la iglesia, el billar, las casuchas destartaladas, la barra de Luis Canario, la mano del enterrador que le decía adiós desde su caballo. Se fue apartando del Riito casi sobreponiéndose a la nostalgia, con el rostro grave y sin revisar el inútil catálogo de imágenes del retrovisor. Por encima de todo, bajo ningún motivo se pondría a llorar.

Hundió un casete en la ranura del radio y el pálido amanecer se le llenó con *Las cuatro estaciones* de Vivaldi. Sus pensamientos empezaron a fluir subordinados a la infinitud musical. El obispo, tras sopesar las incidencias negativas que provocaría el escandaloso romance en caso de que trascendiera a la prensa nacional, había pedido discretamente su traslado a otra provincia. Su destino era una parroquia de Barahona, lejano pueblo del sur del que sólo conocía cactos y sabanas polvorientas. Era esta la tercera vez que lo trasladaban por una infracción semejante, así que se ahorró el recurso estéril de la apelación. Se detuvo en una gasolinera y, sin bajar la música, llenó el tanque del jeep. Cuando fue dejando atrás la estela roja de los framboyanes, sintió una depresión en el estómago y una gota de lluvia, ampliada por el aumento de los espejuelos hasta lo grotesco, pareció arañarle el pómulo. Sorprendido por un leve desconcierto, peló rápidamente un guineo, pero no tuvo voluntad de comerlo. *"Debe ser este adagio del* Verano, *que a todos provoca nostalgia",* pensó para consolarse. Entró a la autopista y fue notando qué rápido desaparece la línea quebrada que separa los carriles, qué rápido van quedando atrás las cosas que uno ha sido. De pronto concentró la mirada en el cristal derecho de los espejuelos y se sintió consternado. *"No es una gota de lluvia, carajo,* pensó desconcertado, *es una lágrima",* y hundió más el acelerador del jeep, rebasando de un acelerón la hilera florida de los framboyanes.

«LA ULTIMA SEÑAL SE HA CUMPLIDO:
La Muerte del Sacerdote.»

Geofredo cruzó los brazos con impotencia inusual. Luego de un día completo de revisar los antiguos portulanos, cotejar las observaciones del astrolabio, consultar la *Geografía* de Ptolomeo y releer el pergamino del antiguo maestre Guillermo *de la Cruz Inmaculada,* no había logrado descubrir en cuáles tiempo y espacio se encontraba la cédula del padre Ruperto. Le pareció que de pronto la Providencia estaba jugando el juego de las escondidas. ¿Sería posible un pequeño error, digamos la diferencia de algunos grados en la determinación original del paralelo? ¿Habría afectado tanto aquella declinación solucionada a la ligera en el latín de Pedro Comestor? ¿Sería posible, pues, que la ubicación del Santo Grial no estuviese en el Riito?

Benedicto y Santiago aguardaban inconclusos la decisión del gran maestre, mientras que *Morgana* permanecía indiferente, trabajándose las uñas con una lima. La luz oxidada del atardecer entraba por la ventana, imponiendo en los rincones un pálido sosiego. Geofredo dejó escapar su conclusión en un suspiro. Se sintió apesadumbrado y vencido.

–No queda nada por hacer –admitió desalentado. Cerró el baúl con el rostro marchito de agonía. Luego sonrió sin ganas, casi burlándose de sí–... a menos que la Providencia nos envíe la cédula a través de un ángel.

En ese momento la mujer desenterró una risa humillante y se puso de pie ante la consternación repentina de los hombres.

–Ustedes los hombres se ahogan en un vaso de agua. Tanto le buscan la quinta pata al gato, que olvidan que los gatos tienen cinco patas –dijo con sorna. Se hundió la mano en el vulgar portamonedas de los senos y tiró sobre la mesa una lámina de plástico–. ¿No era esto lo que buscaban?

Geofredo recogió la pequeña lámina. La observó con detenimiento. Sus ojos se llenaron de luz.

–¡Esta es la cédula perdida! –exclamó tocado por la emoción. Los otros dos se acercaron incrédulos y confirmaron sorprendidos–. ¿Cómo pudiste conseguir este documento, mujer?

–Hace unos días un carterista amigo mío le robó la cartera al padre Ruperto, en el velorio de la difunta Caridad. Como él iba a votar los papeles, yo le pedí que me regalara la cédula, para jugar el número en la lotería... total, que ni salió –contestó la mujer. Volvió a limarse las uñas, lejana–. Y sino hubiera sido porque aquélla noche yo me cité a las doce en punto cerca de la vieja laguna con el Protagonista, que sereneaba el billar, ninguno de ustedes hubiera entrado a buscar la cédula del Platanón. Y si yo no hubiera hablado con la China, Benedicto tampoco habría traído la cédula de Caridad.

Los tres hombres se excusaron por no haberla incluido en la misión de entrar al billar. Geofredo guardó la cédula junto con las otras dos y anunció que al día siguiente, aprovechando la ubicación de los astros, interpretaría la Cifra. Santiago y Benedicto se retiraron de la pieza, embargados por el regocijo de saberse en el cenit de la aventura. La mujer se quedó de pie junto a la ventana.

«¿Qué me diste, Morgana, qué me diste en este vino? ¡Las riendas tengo en la mano y no veo a mi rocino! La pieza nublóse de gris. Aunque no sepamos qué, algo infinitamente grande muere en cada atardecer: la prueba es esa lágrima de sombra que el crepúsculo tiende sobre el mundo. La débil penumbra caía como un velo sucio dentro del cuarto. El hombre fijó los ojos en una rendija que la lluvia había abierto esa mañana en el techo. Al través del orificio pudo ver claramente una ciudad que se reflejaba invertida en la capota del cielo. *"Fata Morgana"*, musitó maravillado. *«Solimán, de la víbora los ojos, sangre de un alacrán vivo»*, recitó calladamente la mujer transfigurándose para siempre en el hada.

–¿No quisiste ahorita que la Providencia mandara un ángel? –preguntó ella, con una leve sonrisa temblándole en los labios. Luego, sumida tal vez en un trance, fue dejando caer su vestido en los tablones del piso. Le tendió el brazo, develando así todo su cuerpo desnudo–. Ven conmigo: te voy a mostrar el cielo.

»Qué me diste, Morgana, qué me diste en este vino, que le tengo de las riendas y no veo a mi rocino.» El barrio se·había vuelto una borrasca de colores. La campaña electoral entraba en su fase culminante y todo el espacio imaginable estaba abarrotado de afiches y letreros. Parece que de repente los políticos descubrieron que la ciudad no estaba deshabitada, que

en ese barrio sí vivía gente. En el Riito no existía pared, árbol o palo de luz sin algún afiche electoral. Los candidatos –amparados en las propiedades benéficas de la amnesia colectiva– prodigaban fundas de comida, volantes con precarios silogismos, medicamentos, romo y discursos en los cuales se presentaban como los únicos héroes de una gesta por venir. Cada uno juraba resolver los problemas del barrio –y por aquello de que para muestra basta un botón, algunos adelantaban milagros menores: llevar un camión de agua, donar un transformador, darle una máquina de coser a una viuda que tuviese nueve hijos malcomidos– a cambio de un objeto abstracto y sencillo: el voto.

La luna desapareció o se volvió sombra, porque el último residuo de luz dejó de colarse por la persiana y el cuarto quedó a obscuras. Benedicto permanecía despierto sobre el camastro, impresionado aún por las vivas imágenes de la barra de Luis Canario. Momentos atrás había padecido el dulce temblor de singar a la China, a la cual frecuentaba con modesta regularidad, con tanta discreción y secreto que parecía casi visitarla escondido de sí mismo. Pero ya no la volvería a visitar, porque esa noche ella le había dejado caer la siguiente pregunta: *"¿Tú serías capaz de honrarme casándote conmigo?"* Él le aseguró que sí, y que volvería mañana. Le mintió, porque él podía parecer cualquier cosa, menos un salvador de cueros. Lo que no sabía Benedicto es que la China estaba al tanto de la mentira, y que le había pedido honrarla para alejarlo, porque no hay como esa petición para que un hombre se aparte de una prostituta. Y quería alejarlo por dos razones: porque el Gua saldría pronto de la cárcel y porque el muchacho se estaba amarrando, no tanto de ella en sí, sino de su cocomoldán.

Lo último de sol que le sobraba a la tarde comenzó a desvanecerse tras la ventana. Santiago, Benedicto y el hada Morgana esperaban de pie que Geofredo iniciara la interpretación de la Cifra que permitiría accesar el Santo Grial. Habían agotado todos los procedimientos para reunir las tres cédulas y ahora sólo faltaba que el gran maestre revelara el apetecido final de la aventura. Un silencio a duras penas contenido marcaba la expectación que vibraba en la pieza.

—La hora del final está con nosotros —pontificó el gran maestre, levantando el látigo y el bastón. Luego elevó el incensario y abrió el pergamino—. La orden de la Última Virtud cerrará en este crepúsculo su historia. La Cifra ha sido reunida y las claves para su interpretación nos han sido reveladas. ¡Hosanna, hosanna!

La pieza se nubló con la dulce humareda del incienso. Una vez despojado del tono ceremonial, Geofredo se acercó a la mesa. La pobreza del crepúsculo fue resuelta precariamente con una lámpara.

—Fray Tirso de Molina ocultó la santa Reliquia en esta ciudad y compuso una criptografía hermética en cuya interpretación se describía su escondite. Pero él no conocía el significado de la criptografía, sino solamente sus números. La criptografía constituye una especie de ecuación trigonométrica cuyos composición y sistema interpretativo serían proveídos por la Providencia a la posteridad.

—La posteridad somos nosotros —anotó Santiago, tratando de caber en una silla.

–El sistema interpretativo debió ser definido por el maestre, nuestro venerado Guillermo *de la Cruz Inmaculada,* quien basándose en el desciframiento empleado por Edgar Allan Poe en la compleja criptografía de *El escarabajo de oro,* logró dar las equivalencias exactas a los números de la ecuación. Pero el maestre tampoco podía hacer la interpretación, pues aunque conocía el valor de cada dígito, no tenía acceso a la Cifra. Sólo a nosotros, últimos miembros del antiguo Temple, nos fueron dados componer la Cifra y realizar la interpretación que develará el misterio. Sólo a nosotros eligió la Providencia para abrir paso a la salvación de un hombre.

La luz amarillenta de la lámpara resaltaba la expresión de sus rostros hasta lo grotesco. El gran maestre sacó del baúl las tres cédulas y desenrolló el pergamino. Había en sus movimientos cierto dramatismo de volatinero.

–La cédula de la mujer adúltera es 047-1274749-8 –reveló, mientras escribía con energía los números–. La cédula del loco, que por ser de las antiguas sólo está compuesta por siete dígitos, es 03778-53. La última cédula, la del sacerdote, es 672-5133021-2... números un tanto extraños, pero que deben su rareza a uno de los tantos errores que fueron cometidos en la preparación de las primeras cédulas, aunque este fue un error condicionado por la Providencia. En definitiva, sumando las tres cédulas obtenemos que la Cifra es:

04712747498037785367251330212

en la que cada dígito, como una ecuación invertida, tiene el valor de una letra del alfabeto griego. La definición de cada uno nos permitirá leer el mensaje que da acceso al Santo Grial. Para lograr esta hazaña basta con consultar la solución encontrada por el antiguo maestre.

Geofredo acercó el pergamino a la lámpara. La luz amarillenta amplificó su apariencia de papel ajado. La ventana dejaba pasar ahora la mancha plateada de la luna. Geofredo divulgó la clave contenida en el pergamino.

Alfa	metamorfosea en	4
Beta	" "	5
Epsilon	" "	3
Lambda	" "	0
Ny	" "	6
Omicron	" "	2
Rho	" "	1
Sigma	" "	7
La U, bárbara, léese en		8
La Z, bárbara, léese en		9

–Las claves no podían ser más claras. Aplicando un procedimiento elemental, tomemos los primeros dígitos de la Cifra y asignémosle su valor. Lo cual nos dará:

$$0 = Lambda$$

el segundo dígito arrojaría:

$$4 = Alfa$$

el tercer dígito daría:

$$7 = Sigma$$

Así, probando esta parte de la Cifra, la serie 047 significa **Las.** Seguimos con el procedimiento y tras un simple deletreo obtenemos que el significado de la Cifra es:

Las rosas azules suben sobre el oro

–El rompecabezas suena bonito, pero no dice por ninguna parte donde está la Joya –desalentó el hada Morgana.

–El Santo Grial está en nuestras narices –apuró el gran maestre, ante el desconcierto de los demás–.

Las rosas azules indican un lugar. El único lugar donde crecen rosas azules está en el patio de la iglesia. Esas extrañas rosas brotaron allí realmente por una disposición de la Providencia. *Suben sobre el oro* significa que la Reliquia está bajo tierra. Recordemos que aunque la Joya es de esmeralda, para los antiguos alquimistas el oro, más que un simple metal, simbolizaba la perfección. *Las rosas azules suben sobre el oro* quiere decir que el Santo Grial está localizado debajo de las rosas azules.

Geofredo sahumó por última vez la pieza con incienso. Luego de quitarse el collar de oro y despojarse de la bata se hundió en un silencio sombrío. Santiago se paró frente al cerco negro de la ventana, mientras que Morgana recogía las tazas sucias de té. La pesadumbre que dominó repentinamente en ellos extrañó a Benedicto. Los arengó a organizar sin perder tiempo la excavación de la santa Reliquia.

—¿Os creéis digno de tener el Santo Grial? —reaccionó el gran maestre con ligero desprecio—. ¿Creéis que existe algún hombre tan limpio que merezca tocar la Reliquia tocada por Nuestro Señor? Si así lo creéis, adelante.

Benedicto se sintió desnudado por un golpe de viento.

—La vanidad de poseer el Santo Grial ha sido la causa principal del fracaso de numerosas expediciones —explicó Santiago desde la ventana, con un acento conciliador—. El grave sacrificio que conlleva alcanzarlo es el crisol que premia al caballero. Querer apoderarse de él es reducir su valor eterno al de un mero objeto temporal.

Benedicto quiso apelar el desapego de los dos hombres. Pensó valerse de la influencia de Morgana, pero al acercarse a ella la vio desvanecerse en una estela de luz vegetal. Comprendió que ya nada era posible en aquella hora de la tierra. La ventana dejó entrar un golpe de brisa que asestó en la lámpara y la pieza se borró con la obscuridad.

—La orden de la Última Virtud, antigua del Temple, acaba su historia: el Santo Grial ha sido revelado —concluyó el gran maestre, desgonzado sobre el camastro. Luego ondeó su mano en la sombra—. Adiós, señor caballero.

La noche caía inagotable sobre el Riito. El calor multiplicado en la humedad sumía al barrio en un pedregoso letargo. El enterrador fumaba pensativo, desplomado sobre la hamaca, imitando sin darse cuenta la pose de Máximo Gómez ante Martí en aquel memorable cuadro de Enrique García-Godoy. Estaba considerando ir al día siguiente al altar de la señora que tiene misterios, para ver si se le abrían los caminos, pues nunca le había caído tanta sal en los sesenta años que llevaba cabalgando sobre la tierra. En toda la ciudad nadie cavaba mejor que él una sepultura, una zanja o un hoyo de letrina. Pero la cosa no andaba buena y hacía mucho que no lo buscaban para tratar algún trabajo. Para colmo, esta era la hora en que no había logrado ni siquiera hablar con el gobernador para que le pagara los setenta pesos. Aparte de que ya no contaba con amigos, nadie en el barrio quería toparse con él, lo evadían como a pájaro de mal agüero, pues se daba por un hecho que siempre que saludaba a alguien era porque ese alguien se iba a morir. Se removió pesadamente en la hamaca, evocando a través de aquélla vieja canción de Juan Lockward el buen tiempo que pasó. Pensaba en su difunta esposa, en su caballo que tenía las herraduras gastadas, en la Muerte, que había venido a hacerle exigencias minutos atrás y a romper las amistades. En esos pensamientos andaba cuando alguien empujó la puerta y entró excitado sin dar las buenas noches. Era Benedicto.

Las rosas azules, tras un breve momento de reparos, fueron arrancadas por el enterrador con la primera embestida de la pala. Las rosas quedaron inmóviles bajo la luna, yertas, como el cuerpo increíble y bello de una mujer ahogada. El enterrador continuó retirando la coraza de cascajo, aunque todavía permanecía escéptico. Le había advertido que esas rosas no podían ser arrancadas, porque eran un milagro de la Virgen. Pero como el muchacho insistió en que el hoyo fuese cavado en ese preciso lugar, el enterrador –mordiendo irónico el refrán *"el caballo se amarra donde diga el dueño, aunque se ahorque"*– se limitó a su trabajo, con la condición de que le pagara por adelantado.

–Las botijas siempre son una vaina –comentaba el enterrador mientras hundía la pala con el pie–. Un muerto le dio una botija llena de oro a un compadre mío. Le dijo que la tenía que sacar en un lugar del cementerio a la medianoche. Mi compadre hizo una oración y se puso a cavar. Pero cuanto más tierra sacaba, más honda la botija se ponía. Y así estuvo hoyando hasta que amaneció, sin conseguir nada... A propósito, que usted no me ha dicho, ¿este hoyo es para sacar una botija?

Benedicto no le respondió. Siguió dando pasos nerviosos por los bordes del hoyo, alumbrando con un foco a intervalos irregulares. Al salir de la pieza de Geofredo, le había embargado un obscuro desarraigo. Le pareció que sus amigos lo tomaban por pariguayo al decirle que no desenterrarían el Santo Grial.

Entendió que lo excluían para luego ir solos tras el botín. Por eso, se había dirigido esa misma noche al patio de la iglesia en compañía del enterrador, no fuera a ser cosa que los otros se le adelantaran.

—Esto como que me está oliendo a botija, porque ya vamos por más de siete pies y no aparece ni mierda —protestó quejumbroso el enterrador.

El muchacho le ordenó que siguiera cavando. Husmeó por el patio para ver si encontraba otras rosas azules, pero fue en vano. El punto excavado era correcto. Algo dentro de su orgullo le decía que la acción era válida. Además, cuando los otros viniesen y encontraran el hoyo, sabrían que él no era ningún pariguayo. La madrugada apuraba sus horas bajo el silencio prudente de las campanas.

—¡Oiga, esto va ondísimo y no hay nada! ¿Dónde quiere usted que esta vaina termine, coño, en el infierno? —gritó el enterrador, salcochándose en el fondo del hoyo.

Benedicto accedió a finalizar la excavación y lo ayudó a salir. El enterrador, con la cara retocada de lodo, se dispuso a tapar el hoyo, pero el otro le ordenó que no lo hiciera; así que se caló la camisa sobre el torso aún sudado, montó en su caballo y le dio las buenas noches, dudando si decirle adiós. La luna vomitó su última luz sobre el cadáver de las rosas azules y todo quedó en penumbra. La noche pasaba cruel y terrible, como una parvada de cuervos aterrados. Tendido en su camastro, Benedicto pasaba revista a este suceso. Le agradaba confirmar que toda aquella parafernalia lidereada por Geofredo, no obstante su apariencia fascinante, era una vaga locura escapada del hachís. Quizás lamentó haber financiado una empresa del vicio; pero se tranquilizó al recordar que todo lo había hecho en nombre de la literatura.

Decidió archivar aquella aventura como el último desliz de su ingenuidad recién desterrada y con un sentimiento conformista se fue quedando dormido. Pero en el fondo, en ese no frecuentado rincón del alma donde habitan los sentimientos soterrados, lamentó que la odisea del Santo Grial terminara en el vacío.

VELLONERA QUINQUE

Cuyo repertorio recoge la manifestación de la muchedumbre, el súbito, antiquísimo y triste capítulo electoral y el infortunado desencuentro entre la Muerte y el enterrador. Incluye además una viñeta sobre una madrugada cabaretera de esparcimiento y solaz como testimonio de verosimilitud. Y que el Señor dé iluminación a los que son sus siervos y a los que no.

No hablemos de la vida, que vale tan poco
ni hablemos de lo falso que es la humanidad.
Traiciones y engaños, tantas falsedades...
sabiendo que un día la implacable muerte
nos sorprenderá.

–Eladio Romero Santos

ALTAR DE ESPÍRITUS BORRACHOS

Los colores polvorientos de la tarde refulgían adulterados por el sol de las cinco mientras Benedicto ascendía por la escalera. Llevaba la firme intención de hablar con Geofredo antes de abandonar el Riito. Pero esta vez no pensaba ponerle atención a sus teorías esotéricas, sino que le reprocharía sin miramientos su adición a los paisajes enmarañados del opio. Empujó la portezuela y entró decidido. Luego de observar a su alrededor descubrió que no había nadie. Le llamó la atención encontrar por primera vez la ventana cerrada. Sintió un silencio quejumbroso vibrando en la soledad.

Aprovechó la ausencia para husmear en el baúl. Al abrirlo, se detuvo en un recorte de 1973 de *El Caribe,* el cual informaba sobre un robo hecho en el Museo de las Casas Reales. Entre las antigüedades hurtadas se detallaba un astrolabio, una espada colonial, una edición manuscrita de la *historia Escolástica,* una bitácora y un collar de oro que perteneciera a Bartolomé Colón. El recorte precisaba que el ladrón se identificó como Guillermo *de la Cruz Inmaculada,* miembro confeso de una supuesta banda de facinerosos llamada orden de la Última Virtud, pero que se negó a revelar a la policía el sitio donde escondiera el botín. Benedicto comprobó que el inventario del baúl coincidía con la lista de objetos robados. Sólo faltaba el collar de oro. En ese momento sospechó que todo aquello del Santo Grial en verdad era la fachada de un trío de ladrones profesionales.

En una funda encontró varios carnés con la foto de Geofredo, que lo acreditaban como corresponsal de *National Geographic,* miembro del Instituto Duartiano y catedrático de la Universidad Autónoma de Santo Domingo. Halló también tres libros titulados: *"Doce correcciones a la Teoría de la Relatividad", "Sobre la cuestión de la poesía y la pintura en el siglo XVIII"* y *"La crítica teológica desde Pedro Abelardo hasta Martín Buber",* todos de su autoría. Cerró el baúl abrumado por la confusión y bajó por la escalera destartalada, pensando en cómo la codicia podía extraviar a una persona ilustrada.

El crepúsculo estrujaba su borra de luz sobre la ciudad. La mancha herrumbrosa de los ocasos siempre nos condenará de alguna manera a la tristeza. Cuando el muchacho saltaba el canal, encontró una trulla que avanzaba presurosa, esparciendo con fervor la noticia de que un loco estaba por tirarse desde la cruz de la catedral. La trulla iba creciendo como un alud, enrolando a todo el que hallaba en su marcha hacia el parque. Benedicto se alistó embargado por un presentimiento.

La trulla desembocó en una muchedumbre que dilataba su silueta raída por la explanada gris del parque. Los choferes convirtieron la Restauración en un aparcamiento caótico. Alrededor de la torre ocupada por el suicida, la policía había formado un cordón *–para que cuando el infeliz se tire nomás encuentre pavimento donde amortiguar,* murmuraban algunos por lo bajo–, mientras que los bomberos correteaban equipados con botiquines *–porque el* *infeliz quizás necesite una aspirina para el dolor cuando caiga de allá arriba,* bromeaban otros. La muchedumbre rasgada por incursiones de heladeros, carteristas, evangélicos, exhibicionistas y un mendigo que fingía inútilmente la ceguera. Un cabo de los bomberos intentaba disuadir al suicida desde un altoparlante con argumentos pendejos. En medio de la maraña, montado sobre su caballo, el enterrador hacía un adiós con la mano hacia la torre de la catedral.

Benedicto miraba hacia la cruz negra de la torre. Le pareció reconocer aquella figura que se dilataba en la mancha gris del crepúsculo. Al descubrir a Santiago junto a la glorieta, no tuvo dudas de que el suicida era Geofredo. Se le acercó presuroso y, provisto de una voz temblorosa, le preguntó qué diablos pretendía hacer allá arriba.

—Únicamente lo que debe hacer —vindicó escuetamente Santiago, sin despegar los ojos de la torre.

La bulla cada vez adquiría mayor uniformidad. Los choferes exprimían sus bocinas; el cabo insistía ya ronco por el altoparlante; un coro fervoroso le gritaba *no te tires, no te tires;* algunos tígueres se limitaban a silbar. Por encima de aquella orquestación irreconciliable, tronó una voz anónima: *¡Qué coño, si se va a tirar que se tire, que ya tiene a uno harto de tanto esperar!*

Geofredo miraba la atarraya mal tejida de la multitud. Se sentía ruborizado por ser el motivo de tanta atención. Nunca sospechó lo difícil que le es pasar inadvertido a quien se intenta lanzar de una catedral. En honor a la verdad, él hubiese preferido un suicidio menos aparatoso, nada concurrido, algo más íntimo y personal. Pero la muerte de todos modos siempre es auténtica. La muerte supera a la vida precisamente porque prescinde de las apariencias. Geofredo contempló a su alrededor con recatada fruición. Nunca imaginó que la ciudad se viese tan lejanamente hermosa poco antes de morir. Cuando las campanas iniciaron el toque de las seis, se dijo sin vacilaciones: *consumatum est,* besó el collar de oro, se persignó calmado y apoyó el primer pie en el vacío, con la misma seguridad que se pisa un peldaño. Su cuerpo caía desmadejado y asimétrico, sin gracia, exactamente como esos muñecos de trapo que lanzan en las películas hacia los precipicios.

Benedicto lo vio caer, estupefacto. La trulla recobró más vida y se precipitó hacia el pie de la torre. Santiago, que se había quedado embelesado, comentó domeñado por la emoción la caída de su amigo.

—¿Habéis visto qué hermosos eran los ángeles? —reiteró y, como el muchacho le advirtiera alarmado que Geofredo debía encontrarse destrozado en el pavimento, corrigió sin alterarse—. No, no. Lo que cayó fue sólo el cuerpo, el bagazo, lo que siempre está de más... Pero el alma, el alma... ¿No habéis visto cómo los ángeles la sostuvieron en el vacío? Los ángeles, los ángeles... eran hermosos los ángeles.

El muchacho se apartó de él y se internó en la muchedumbre. Vio el cadáver despatarrado y torcido bajo el estrecho círculo de los curiosos, increíblemente roto, vuelto un sebo, como el hombre destrozado por el caballo en la litografía de san Santiago. El muchacho levantó la mirada sobrecogido de espanto y la concentró en el Protagonista, quien, sin dejar de escrutar el cadáver, se lanzaba a la boca rositas de maíz a un ritmo acompasado. Escapó del círculo abrumado por un sentimiento que oscilaba entre la náusea y el desconsuelo. Regresó a la glorieta, pero no encontró a Santiago. Sentóse en la escalinata y al limpiar los espejuelos, inevitablemente, se puso a llorar. Primero fue una lágrima, luego otra, y varias al mismo tiempo hasta que no pudo parar. Se abandonó al llanto bajo el crepúsculo que lo iba borrando todo. No lo lloró como se llora a un muerto, sino como se llora a un amante que se va.

21 de marzo: San Filemón, san Serapión, san Nicolás de Flüe.

Todavía estoy en el Riito. He decidido postergar mi partida hasta que se realice el entierro de Geofredo. No hay cosa más desesperante que cierta eficiencia burocrática. Ahora la policía, sólo por lo escandaloso del caso, se ha empeñado en realizar una autopsia... total, sólo encontrarían un rastrojo de crack. Santiago dice que no tenía familia, o que su familia era el universo, así que no habrá funeral. Después del entierro regresaré a la capital. La muerte de Geofredo me ha sumido en un hondo desconsuelo. Aún tengo en la memoria la foto grotesca de su cuerpo roto. Nos creemos seguros de las cosas, capaces de controlarlo todo, dueños del mundo... hasta que de repente una persona nuestra muere y descubrimos sorprendidos que no somos señores de nada. Con su suicidio comprendo que para él aquello del Santo Grial era un asunto serio. ¿Qué importa cuán descabellado sea un proyecto si se pone en él todo el corazón? Hay algo de grandeza en los hombres que entregan su alma a lo que creen.

Liberata venía taconeando sin destino. Desde la tragedia del padre Ruperto, todo le iba de mal en peor. A raíz del problema, tuvo que abandonar el cuarto de la casa curial y mudarse en una pieza que le prestaron por caridad, ya que no había podido conservar su empleo de conserje. Muchos murmuraron el que no se presentara en los funerales del padre Ruperto; aunque en verdad ella faltó no por vergüenza o despecho, sino porque era de las del número que si una noche fuera por el Riíto y viera caer la luna sobre un charco, pensaría "la luna ha caído sobre un charco", y seguiría como si nada. Quizás por eso últimamente se le veía cabizbaja, tal si los golpes de la vida le hubiesen asestado en la nuca y no en el corazón.

La gente la miraba sin sospechar que tras esa fachada de sórdido ropaje, más abajo de ese rostro penosamente feo, palpitaba un cuerpo maravilloso, un juego de líneas deslumbrantes, dulce para el amor, exuberante. Esta inusual integración *rostro-corporal* permitiría dudar si a su belleza le sobraba la cara o si a su fealdad le sobraba el cuerpo. Habría, pues, que determinar qué es más importante en la belleza física: el rostro o el cuerpo. Si reparamos en la intensidad espacial, debido a su magnética atracción de punto luminoso, el rostro sería lo más importante. Mas si reparamos en la extensión espacial, debido a su amplio campo de proyección sensual, el cuerpo sería lo vital. La verdad dependerá entonces de la solución a este dilema. Sin embargo, en lo que el hacha va y viene, ¡ay de quienes posean la fealdad en cuerpo y cara! Porque Liberata podía ser fea de rostro, pero su cuerpo la vindicaba.

La muchedumbre avanzaba entretejida y lenta, como si acompañara un ataúd o estuviese atada a los pies del gobernador. Las banderas coloradas ondeaban desordenadas sobre sus cabezas, zangoloteadas con esmero al ritmo ensordecedor de los eslóganes. El gobernador, persiguiendo a brazo partido una senaduría, visitaba las casas del Riito escondiendo tras una sonrisa falsa la náusea que le causaban el mal olor y el sucio. *"Está bien, es sólo el breve suplicio de cada cuatro años"*, se consolaba para sus adentros, mientras se echaba sobre la chaqueta de lino un niño malogrado por la alferecía. Tanta fe depositaba en esta frase extraída de su larga experiencia, que hasta le besó el rostro legañoso, y aprovechando el impulso, se abrazó con fogosidad a los ancianos, satisfizo el saludo de manos callosas, recibió los besos babosos de una mujer borracha y se internó en una casucha empujado por la trulla que lo aclamaba.

El enterrador lo recibió enmudecido de sorpresa. Luego de pasar dos meses dando viajes inútiles para hablar con él, ahora lo encontraba de frente en su propia casa y sonriéndole como en un anuncio de pasta dental. Era la primera vez que lo veía –aunque, pensándolo mejor, sí lo había visto en los afiches sin saber que era él– y le pareció un tipo vulgar, pero envuelto por el aire de fina solemnidad que provee el poder. Sin escapar del aturdimiento que le provocaba la presencia del visitante, pidió permiso para hablarle.

–Yo estoy para resolver tus problemas, compañero –adelantó el candidato, irradiando un optimismo que contagió a la trulla. El enterrador se sintió conmovido con estas palabras y comenzó a explicarle lo del entierro de Policarpio *el Tuerto* carraspeando, tembloroso, estropeando el relato con una tartamudez repentina. El gobernador lo interfirió recogiéndolo en un abrazo–. Ve mañana temprano para que me cuentes más calmado. Esta es mi tarjeta. Y ya sabes: votando por mí garantizas tu progreso y el del país.

Envuelto en su propia perplejidad, el enterrador leyó la tarjeta. De pronto lo embargó una terrible desazón. No sabía que ése era el nombre del gobernador. Y recordaba perfectamente que había leído ese nombre inscrito en el cuadernito de la Muerte. Comprendió desalentado que ya no cobraría los setenta pesos del entierro, porque sabía que esa misma noche al gobernador lo iban a matar. Se limitó a decirle adiós con la mano. La misma trulla que hizo el milagro de ponerlo frente a él, deshizo el milagro llevándoselo de forma impetuosa.

La amistad entre el enterrador y la Muerte había comenzado una madrugada en el cementerio, cuando ella le preguntó tímidamente si tenía una lima para amolar la guadaña. *"Ya no las hacen como las de antes",* explicó, mientras limaba el filo herrumbroso. Desde entonces se encontraban de forma regular y compartían agradablemente en la inmensidad de los sepulcros. Una noche, el enterrador pensó que haría el negocio de su vida si lograba saber por adelantado la fecha en que la gente iba a morir. Le planteó el negocio a la Muerte, pero esta se negó rotundamente, porque solo ella debía manejar esa información. Aunque siguieron siendo amigos a través de los años, el enterrador aguardaba en secreto el momento de apoderarse del cuadernito.

Una madrugada, mientras la Muerte jugaba al dominó con el Barón del cementerio, se le acercó discretamente con la supuesta excusa de revelarle las fichas que tenía el Barón. La Muerte descuidó la guardia para escuchar el secreto. Y fue cuando el enterrador aprovechó para sustraer sigilosamente el cuadernito. Excitado, dio las buenas noches, deseándoles un buen final en la partida.

Desgonzado sobre la vieja hamaca de su cuarto, el enterrador leía con avidez el cuadernito de la muerte. Se fue enterando de los nombres y las fechas en que cada persona iba a morir. Lo hojeó una segunda vez para memorizarlo y no fue sino entonces cuando descubrió con regocijo que su nombre todavía no estaba anotado en la lista. Comenzó a realizar algunos cálculos aprovechando el silencio de la noche. De pronto, escuchó una voz en su cabecera.

—¡Ajá! —le sorprendió la Muerte. Le arrebató el cuadernito y luego de guardarlo con recelo, quedó un momento pensativa—. Usted parecía un hombre más serio, mal amigo. Con razón dicen que no se puede confiar, porque en la confianza es que está el peligro... Usted leyó el cuadernito de los futuros difuntos, por eso debe morir.

Levantó la guadaña temerariamente, poniendo en el gesto cierta teatralidad. El enterrador la miró tranquilo desde la hamaca. Sabía que esa no era su hora de morir.

—Mi nombre no está anotado en el cuadernito —advirtió con tranquilidad.

—Yo soy la Muerte —advirtió guadaña en alto— Puedo disponer de ti ahora mismo.

—¡Ugm, ugm! —desautorizó el otro—. Tu trabajo no es matar a nadie, sino sólo conducir a quienes le toca morir.

—¡Puedo matarte! —exclamó quejumbrosa.

—Nadie se muere de muerte, sino de alguna otra cosa.

Bajǒ impotente la guadaña. Y dijo:

—Podría mover mis influencias para que tu nombre fuera inscrito en este preciso momento, pero te daré un chance: Dejaré que tu final llegue conforme al papeleo de la naturaleza, siempre y cuando nunca le digas a nadie la fecha en que va a morir.

El enterrador sintió un dejo de consideración en el tono de la Muerte. Le prometió mantener el secreto no tanto por miedo a una inscripción precoz en el cuadernito, sino porque empezaba a dolerle la traición. Le tendió la mano en reconciliación, pero la Muerte se la dejó tendida. Al llegar a la puerta se dio vuelta. *"Enemigos para siempre"*, declaró mostrando su descarnado meñique, y se retiró con un mutis teatral.

El enterrador mantuvo su palabra, aunque nunca pudo evitar la costumbre de despedir en secreto a quienes iban a morir. Hacía un adiós silencioso, mustio, impregnado por un miserable sentimiento de poder. Visitaba con tan cruel puntualidad a los futuros difuntos, que en el barrio terminaron por esquivarlo o cerrar las puertas a su paso. Algunas noches añoraba encontrar a la Muerte pelando alguna naranja con la guadaña o convidarla a un plato de arroz con leche. Pero no volvió a verla nunca jamás. En ese tiempo descubrió que los cementerios eran terribles espacios de soledad.

La vellonera circunscribe el tiempo a una sucesión de bachatas. Las canciones no son de quien las escribe, sino de quien las sabe cantar, porque una canción se hace en la voz, no en el papel. *Caminito* es de Gardel, *Arbolito,* de Odilio González, *Bachata Rosa,* de Juan Luis Guerra. Eso sin contar que cada cual tiene una canción que lo amarga de recuerdos y lo pone a beber. Las canciones, como las mujeres, no son de nadie: o mejor dicho, son de ellas mismas o del que en un momento dado las sabe tocar.

–La China es ajena, te digo: esa mujer es mía –le amenazó el Gua, con la voz sucia de inquina.

Recuerda la China que él había salido de la

cárcel el día anterior, luego de pagar los trescientos pesos que se ganara por conseguirle el expediente a Benedicto. Dicen que esa misma noche, horas atrás, cobró un buen dinero por participar en el asesinato del gobernador. La China nunca estuvo segura del crimen; pero sí recuerda que fue esa la noche en que el Gua le confesó que se acostaba con ella no sólo por el cocomoldán, sino porque singaba en inglés igual que las americanas de las películas de sexo.

—Ella está en mi mesa y de aquí no me la lleva ni Dios que baje del cielo –vindicó el otro poniéndose bruscamente de pie.

Los dos hombres sacaron sus cuchillos y se desplazaron hasta el centro del cabaret, como si el asunto se tratara de un baile. Se quitaron con recelo la camisa –¿por qué hay hombres que se quitan la camisa cuando están supuestos a matar o a morir?– y se miraron con rara fascinación. Estaban agotadas todas las razones. Ahora era el tiempo de los cuchillos... Pero no hacía esto el Gua como un símbolo de adiós, pues no sabía él que era esa, luego de tantas pendencias evadidas, su última madrugada en los diecisiete años que había vivido.

Liberata entró a la mole gris de la catedral al rayar las cinco. Se despojó la mantilla y alzó su rostro hacia el Cristo sin cruz... o hacia el de la cruz de nada. El cuerpo es fundamental para establecer la belleza. La cara del óleo de la Virgen de la Antigua es hermosa. Mas imaginemos que un día, digamos por un exceso imperdonable en el manejo del plumero, cayese la túnica orlada que cubre su pudor y viéramos, ruborizados claro está, que su cuerpo es horrible, ¿qué opinaríamos de su belleza celestial? En cambio, imaginemos que a Liberata, digamos por una imprudencia del viento, se le cayese el sórdido ropaje y viéramos, originalmente desinteresados claro está, su cuerpo deslumbrante, hecho de mieles amorosas, ¿qué opinaríamos de su supuesta fealdad? Además, considerando en frío, el rostro de Liberata no puede ser condenado a la ligera. No. Es probable que con unas líneas de rímel por aquí y unos toques de colorete por acá la historia de un rostro cambie de manera radical. Sí, señor, como repitiera el divino poeta Rubén Darío: *"¡Quien te vio y te ve ahora!"* Y si recordamos que los rostros bellos son tan comunes que hasta resultan repetidos, entonces Liberata –quien recibe ahora desprevenida la comunión de manos del obispo– , al menos contaba con un cuerpo deslumbrador y un rostro interesante.

La mañana tendíase cuajada sobre los patios del Riito. El sacristán, armado con una Biblia, un altoparlante y un paquete de afiches que demostraban con curiosa matemática que el 666 del *Apocalipsis* era el Papa, predicaba casi con saña frente a la barra de Luis Canario. Los cueros intentaban apagarle la voz subiendo el volumen a la vellonera. Incluso, una de ellas se paraba periódicamente a la puerta y se levantaba la falda para espantarlo enseñándole la verija. Pero el predicador, retando a Satanás *el Diablo,* continuaba escudado en el altavoz y maldiciendo la genealogía de los cueros que laboraran en la barra desde los tiempos de *la estrategia del café.*

Le era imposible convencer a la gente de que constituía una injuria seguirle llamando sacristán. Pero desempeñar por quince años un mismo oficio deja marcas difíciles de borrar. Ahora trabajaba en la zona franca produciendo infinitamente una misma pieza de estaño cuya utilidad nunca le sería revelada, aprovechando los descuidos de su supervisor para anunciar el Juicio Final y describir con precisión macabra los tormentos del infierno.

Como las hieles del amor perduran más que sus mieles, las lecturas de la Biblia, digamos *Números 5:28* o *Levítico 15,* le traían de vez en cuando el recuerdo amargo de Liberata. Y en ocasiones, para desterrar un diabólico sentimiento de venganza, la declamación de *Calle de la Vera Cruz* por Juan Llibre había sido más efectiva que los consejos de san Pablo. Así que cuando adentro apagaron la vellonera y la China salió a la puerta sin ostentación, diciéndole con voz pausada pero firme: *"Mira, sacristán, tu problema no es con nosotras, sino con Liberata; ten la bondad de ir a predicarle a ella y vuelve cuando la hayas metido a tu rebaño",* él sintió como si le lloviera un cubo de cerveza, y aunque continuó su discurso apocalíptico para no dar el brazo a torcer, apuró un ultimátum y se escurrió arrastrando un silencio sepulcral.

Atardecía. Es inútil razonar cómo en una palabra pueden caber tanta soledad, tanta sombra tremulante, tanto silencio. Atardecía. Benedicto entró sin tocar a la pieza de Santiago, a quien encontró sentado parsimoniosamente en un sillón, con las manos hundidas hasta los codos en una cubeta de agua de rosas. El hombre lo recibió sin inmutarse. El visitante reparó en la forma ceremonial con que este mantenía los brazos: sepultados bajo aquel perfumado líquido rojo. Pero no tuvo ánimos de preguntar. Habían enterrado a Geofredo horas antes y sólo venía a despedirse.

«El Santo Grial todavía sigue bajo las rosas azules –insistió Santiago con la voz apagada, lejana, como si estuviese medio dormido–. La incredulidad no os permitió verlo, pero está allí, en el patio de la iglesia, en el hoyo... Lo importante es que fue descubierto... Ahora gravitará sobre un hombre que así será redimido y, con este hombre, será redimida la humanidad... Arrancaos esos ojos, muchacho, que no son suficientes para ver... Mirad que os habéis perdido de ver el Santo Grial y los ángeles...

Benedicto apenas escuchaba su voz. Santiago cabeceaba somnoliento en el sillón, con los brazos inertes en el agua de rosas. Las luces vencidas del atardecer acentuaban la palidez de su rostro. El muchacho sospechó que estaba bajo los efectos de una droga.

»Ah, es tan dulce la muerte, el alma disolviendo sus cristales... Ah, los ángeles... los ángeles... tan hermosos los ángeles», musitó, arrastrando con frescura y vigor insuficiente las palabras.

Benedicto sintió de repente una sensación extraña. El cuartucho se desvaneció bajo una luz cegadora. El olor letárgico del agua de rosas cedió a un vapor dulcificado de incienso. Quizás oyó música, quizás palpó algo dulcísimo y leve, quizás vio figuras transparentadas por la luz. Lo único preciso era esa paz que parecía sostenerlo en el vacío. Pasó un segundo o tal vez la eternidad; pero de pronto desapareció la luz y el cuartucho retornó a los grises desmadejados del crepúsculo. El muchacho consultó a Santiago y notó que éste permanecía inmóvil en el mueble con el rostro echado hacia el hombro, como una paloma muerta. El destello de una navaja desechable que descansaba junto al mueble le produjo una terrible sospecha. Dio un salto y trató de despertar a Santiago, pero estaba inerte y pálido. Muerto.

Comprobó que el rojo en el agua era sangre y comprendió que su amigo, con las venas cortadas, había estado muriendo secretamente mientras le hablaba.

La cicatriz de tierra removida indicaba el lugar donde fuera cavado el hoyo. Benedicto la rastreó guiado por los últimos residuos del crepúsculo que teñía el patio de la iglesia. Luego de descubrir la tragedia de Santiago, había huido hacia este lugar atraído por una intuición superior. Contempló el rastro de tierra en el punto preciso que estuvieron plantadas las rosas azules. Lo miró intensamente hasta que de tanto mirarlo dejó de mirarlo y lo siguió entonces mirando con algo interior que no era los ojos. La tierra se fue abriendo como una rosa y de su interior brotó el aura dorada del Santo Grial.

LA ROSA DE LA HERRUMBRE
Novela inédita
de Benedicto Pimentel
CAPITULO 7

El Ángel desgarró el aura con su garra de oro. Luego arañó el cristal que protegía a Benedicto de los misterios salobres del mar. El muchacho que era la rata como un trazo del *Jardín de las delicias* principió a sentir el terror de verse acorralado por el agua.

«25 de marzo: La Anunciación del Señor, Dimas el Buen Ladrón

»Estoy en casa. El Riito llega a mi memoria nostálgico, gris... como un atardecer. Una vez me dijo el enterrador: "El Riito es un entierro donde cada cual es el curioso, cada cual es el doliente y cada cual es el difunto." *Así va el mundo. Geofredo, Santiago y Morgana me mostraron el camino del Santo Grial.*

Ellos lo vieron con los ojos de la fe y del amor... Yo pude verlo con los ojos de la redención. Yo soy el hombre que recibió la redención a través del Santo Grial. Y pude presenciar los ángeles. En este pergamino sacado del mar Muerto he depositado estas palabras, y la novela. Todo parte del Santo Grial, todo regresa al Santo Grial. Cada cabeza es un mundo: yo soy el mundo. De mí depende la salvación o la condena. La humanidad es en mí. Yo soy el poder, la fuerza. A partir de este instante comienza la historia. Yo, Benedicto de la Augustísima Castidad, póstumo señor mariscal de la gloriosa orden de la Última Virtud, antigua del Temple, y dichoso destinatario del Santo Grial.»

Y escuchó la voz del antiguo gran maestre Santiago de Molay vibrando en los gases de la hoguera: *«Así como un solo pecado caído sobre un hombre puede condenar a toda la humanidad, así mismo una sola virtud caída sobre un hombre puede salvar a toda la humanidad.»* Mas el Ángel deshizo con un soplo todo el humo de la tierra, y se apagó la voz. Extendió la mano para que Benedicto le entregara el pergamino. El otro se negó, pero cuando quiso apretar la novela en sus manos, tuvo que abrirlas adolorido, porque de cada dedo le brotó una flama. El Ángel mojó el pergamino en las siete aguas de los siete mares y lo fundió con los siete fuegos de los siete planetas. Vio caer dispersos por el aire los personajes de la Novela, huecos, vacíos, incendiados, hechos cenizas al final de su caída. Y entonces aguijoneó a la bestia para que proclamara: *«¡Ahí van cayendo los ángeles impuros, los demonios cayendo sobre la tierra!»* Después montó el lomo incendiado de la bestia, y clamó furioso por toda la tierra:

«¿Dónde principia el principio? ¿Dónde

finaliza el fin? ¿Qué queda dentro de la realidad?
¿Qué queda fuera? La realidad incluye todo y todo lo
desborda. Cada criatura es el centro del mundo y
ninguna criatura es el centro del mundo. Todo irradia
del Santo Grial, todo regresa al Santo Grial, aunque
lo desconozcan las criaturas: He aquí el verdadero
centro. Yo soy el Ángel de la vida y soy el Ángel de la
destrucción. Una vez vine a darte la vida a través de
las visiones. Ahora vengo a destruir tu presencia hasta
la séptima generación.

»–¿Cuál ha sido su pecado? –preguntó
infinitas veces la bestia, pecando infinitamente del mal
del siglo.

»No necesita de pecados para caer –sopló el
Ángel–, sólo haber escrito esa novela en el instante
que Dios lanzó su ira sobre el olvido de los hombres.
Ofendió a Dios, y eso no es sólo un pecado, sino el
pecado en sí.»

Una ráfaga de agua hirió el rostro del
muchacho y las visiones se redujeron a la obscuridad.

–¿Pero va a salir del coma?

–Los doctores dicen que sí, pero que debemos
tener paciencia –informó la señora, obligada a la
conformidad, quizás porque no le quedaban lágrimas
para llorar–. Dentro de la gravedad, su estado es
estable. Incluso, ayer abrió los ojos y me dijo:
Morgana, con mucha lucidez. Pero volvió a caer en
ese sopor, en su raro abismo.

–Si me hubiera escuchado, no estaría ahora
en esta clínica. La juventud de hoy camina con los
pasos perdidos.

–Cuando llegamos ya era tarde. Lo
encontramos zambullido en un barril de agua de sal,
con los ojos cuarteados y esa misma mirada... No lo

quiero recordar. Los doctores dicen que una sobredosis de alucinógenos lo arrastró a este estado de shock. Tuvimos suerte de hallarlo con vida.

–Yo no tengo que ver con esa aventura. Por eso le traje la copia del fax donde le pido a él que regrese a su casa. No entiendo por qué se empeñó en emprender ese descabellado viaje. Mi *Norma para escribir novelas* hubiera sido suficiente –aclaró el hombre. Miró el reloj de la pared y descubrió preocupado que casi marcaba la una, su inquebrantable hora de comer–. Buenas tardes, señora, espero que su hijo se mejore.

–Muchas gracias, doctor. Buenas tardes –lo despidió y volvió a tomar la mano del muchacho. Una lágrima, seguro alguna que había quedado olvidada en los rincones del alma, le humedeció los ojos. Contempló largamente al enfermo–. Ay, Benedicto, mi bebé, por qué te me has quedado tan lejos.

Cuatro cirios encendidos hacen guardia a un ataúd y en él se encuentra tendido el cadáver de mi amor.

–Me la mató, compadre, me la mató –díjome con la voz amenazada por el llanto, mientras parecía exprimir el vaso entre las manos. Un momento antes lo había visto sobrevivir a un pleito de cuchillos, pero algo hueco en sus ojos, vacío, recordaba el olor de los muertos.–. El Machote es un cobarde. ¿Por qué no se metió conmigo?... Claro, aprovechó que yo no estaba para abusar de Caridad. Pero tarde o temprano voy a encontrarme con él.

–No vaya a llorar, compadre, que desde aquella mesa nos están mirando –le advertí, ojeando disimuladamente la vellonera. Los hombres, por falta de costumbre, somos desagradablemente impredecibles cuando nos ponemos a llorar.

–No se apure, compadre –aclaró, recobrando la compostura. Volvió a llenar mi vaso con la botella que le temblaba: manos muertas de hombre tristísimo o de simple hombre que va a morir–. Usted me dijo que se apellidaba Valdez, ¿verdad?, de los valdeces de Los Corosos. Ya recuerdo. Perdóneme que le cuente estas cosas a usted, que apenas lo conozco; aunque todos los hombres de alguna forma somos hermanos en la amargura... Compadre, una señora que tiene misterios me dijo que el Machote anda por el sur. Iré a buscarlo pueblo por pueblo...

Ay, qué velorio tan frío; ay, qué soledad y do-lor. Sólo están los cuatro cirios, también de luto vestidos igual que mi corazón.

–Pueblo por pueblo, compadre –retomó tras una amarga pausa. Los borrachos suelen hacerse compadres de todo el mundo, quizás como un desesperado recurso de agenciarse espectadores para su dolor–. Yo quería a esa mujer, Valdez, y ese cobarde me la mató con cuarentisiete cuchillazos... Pero por cada cuchillazo yo le devolveré dos puñaladas... Se las tengo bien calculaditas: van a ser ochentisiete puñaladas.

–Noventa y cuatro –corregí con delicado tacto, ante la mirada atónita de mi interlocutor–. Cuarentisiete por dos da noventa y cuatro.

–Sí –corroboró, luego de cotejar brevemente con los dedos y apurar un trago–. Son noventicuatro... Cuando lo encuentre le meteré noventicuatro puñaladas.

Al través de la montaña voy cargando mi ataúd y regaré con mi llanto una tumba y una cruz.

La sirena de los bomberos quebró la paz de la madrugada anunciando la avenida del canal. La lluvia caía desmadejada y violenta, inagotable, quien sabe si hasta con mala voluntad. Los goterones se desplomaban de golpe y rebotaban desmigajados, arrancando un breve rumor de tambora que se multiplicaba en la obscuridad. De vez en cuando algún tíguere arrestado se lanzaba desde el puentecito a la captura de una bicicleta o un racimo de plátanos. Los damnificados, tristes y apelotonados en pequeños cuadros familiares, veían impotentes como el agua se llevaba, sordo e insaciable, la evidencia material de sus sueños.

Los bomberos dejaban caer sobre las aguas la luz de un gigantesco farol, mientras organizaban el rescate anudados a una soga de nailon. Los curiosos, apañuscados entre la masa helada de los damnificados, pasaban revista a los pormenores de la tragedia, registrando el inventario inagotable que se iba por el canal. La tragedia ajena despierta ese obscuro placer, un cierto bienestar, quizás porque nos permite constatar que aquello tan terrible sólo le está sucediendo a los otros. Las aguas desbordadas y turbias del canal inundaban todos los rincones de su antigua ribera. Arrastraban con saña matas de plátano, neveras, un armario, puercos azorados, una vellonera, el rostro ahogado del Protagonista, cuyos ojos reflejaban el recuerdo de una mano envejecida diciéndole adiós.

Llovía. Llovía no como en el bolero, pero llovía. La lluvia siempre trae lo mismo: humedad y espacios sombríos. La lluvia caía en este atardecer como trapos húmedos o almendras amargas. Liberata miraba llover tras el cristal nublado de la ventana. La gente del Riito ya no la miraba cuando ella pasaba por la calle. Su rostro hecho polvo les recordaba que nadie era el protagonista en este desgarrado penar sobre la tierra. Habían constatado con modesta fruición que ella no era tan pura, que nadie era tan puro, que en realidad no existía quien pudiese lanzarles la primera piedra, y por eso ahora la ignoraban como a un número más de la cofradía. Liberata aproximó su rostro al cristal helado y suavísimo de la ventana. La mirada se le perdió en el tejido inagotable de la lluvia. De pronto, una lágrima tibia ganó el cristal. No sabía la causa de su llanto. No lloraba por los difuntos, ni por la miseria, ni por las rosas azules, ni por su virginidad fingida, ni por la lluvia que amenazaba con volver a desbordar el canal. No sabía por qué estaba llorando, pero lloraba. Lloraba con desconsuelo bajo el atardecer, con entrega absoluta, con ganas, casi con placer, como si ya nunca pudiera dejar de llorar.

FIN

Esta cuarta edición de
Bachata del ángel caído de Pedro Antonio Valdez,
se terminó de imprimir en agosto de 2003,
en los talleres gráficos de Editora Búho,
en Santo Domingo, República Dominicana.